文春文庫

むかつくぜ！

室井滋

文藝春秋

むかつくぜ！　目次

むかつくぜ！

果てしない戦い

私は昨年の秋に、現在の住まいに引越して来たのだが、新しいマンションに来て、とても便利になったことが一つだけあった。

それは、車の駐車場だ。

以前は、駐車場まで五分も歩かなければならず、しかも青空駐車をしていたのだ。

この五分というのが意外に面倒で、五分歩いて埃まみれのマイカーに乗るか、タクシーに乗るかでは、私はいつも迷わず、タクシーを選択したものだった。

今はマンションの一F部分が車庫になっており、リモコンシャッターまでついている。

これで、タクシーに乗る回数もグッと減り、バンバン車に乗れるぞと、最初のうちはとても喜んでいたのだ。

ところが、ところが、ここにも一つ問題があった。

この新しいマンションというのが、青梅街道ぞいから一本入った所にあるのだが、青梅街道と家を結ぶ一本道がとても狭い上に、車が片側に何台も路上駐車してある。おまけに、一方通行じゃないので、車を出す途中、路《みち》の真ん中で対向車に出くわしてしまうと、どちらかがバックでいったんさがらなければ通ることが出来なかった。路上駐車の車がベンツやジープなんかの時には、まったくお手上げで、できるなら通りたくないのだ。私の家から出るのには、もう一本、道があったが、そこは一方通行なので帰るにはこれしか道がなかった。

夜帰って来ても、この路上駐車のせいで家に入れないということが何度も起こり、そんな時はバックで青梅街道に戻り、街道ぞいに車を一時停めて、道があくのを待ってからやっと車庫に入ったりしていた。

腹が立つのは、その際、街道の自分の車に駐禁シールをベタッとはられてしまうことだ。輪っかまで付けられそうになった時には、あわてて、放置された車のそばの家を、一軒一軒〝お宅の車ですか〟と尋ねてまわったりもした。

だが、結局、私にとって、ものすごい時間のロスと消耗にしかならないので、私は再びタクシー派に戻りかけた。

が、それでもせっかく引越して来て、しかも目の前に毎日車があるので、どうにもくやしくて腹の虫がおさまらなかった。

まあ、こんな訳で、私は次第に路上駐車の車をとても敵対視し、すごく過敏になっていった。そして、まさに路上駐車しようとする車を見つけようものなら、素っ飛んで行って注意したり、常習犯の車の前で運転者を待ちぶせして、怒鳴《どな》ったりするようになった。

そして、先日のことだ。

私は駅に向かって、例の一本道を歩いていた。いつもながら、路上駐車の車がズラリ並んでいた。思わず蹴ってやりたくなる程むかつき、「バカヤロー」と吐き捨て、青梅街道に出た時だ。婦警がピッピッと笛をふき、レッカー車を誘導しているのを目撃してしまった。私がここで一気にどんな気持ちになったか、もう説明せずともおわかりだろうと思う。

(以下、その会話)

私「すみません。私、この路の奥の方に住んでいる者なんですけど。ほら、こんな風に車が止まっているとね、自分の車庫に車で帰れなくなっちゃうんですよ。ついでに、これらの車全部、レッカーしちゃってくださいますか」
婦「はあ、今、それでお困りなんですね」
私「いえ、今っていうよりも、いつもなんですよ」
婦「あのー、基本的にレッカー移動を希望される時は、まず110番してください」
私「あのねえ、あなた婦警さんでしょ。警察の人がこうして目の前にいて、直接住民が困ってるっつってんだから、それでいいじゃないの。さっさとやって、レッカー」
婦「はあ、どうもあなたのお話が分りませんねぇ。で、今、あなたの車は何処なんですか」
私「えっ、私の車は、今うちの車庫だけど」
婦「じゃあ、何も問題ありませんね」
私「だからさぁ、そんなこと言ってんじゃなくて、広い道のレッカーもいいけど、ここは広いからまだ通れないってことないでしょ、その路はまったく通れなくなるんだから、ついでにレッカーやってくれって言ってんでしょうが」
婦「ですから、実際に困った時に110番を……」
私「分った。じゃあ今から、私さぁ、出掛けることにするわよ。するとまあ、すぐに困るんだけど、したらあんたレッカーしてくれるんでしょ。……ほら、今、困ってんのよ」

婦「そうですね。まず、あなたが110番されて私が連絡を受けるようなことになれば、後々そうなるかもしれないですねぇ」

それじゃあ、白亜のマンションからあんた「キャーッ」ていう悲鳴が聞こえても、まず誰かが110番しなきゃ、助けに行かねぇつもりなんだね、と私は思わず口から出かかったが、さすがにそれだけはグッと堪《こら》えて、「分りました、110番しましょ」と、この馬鹿馬鹿しい会話からおりた。

そして、その日の夜のことだ。

私の乗ったタクシーが、見事にこの路を通れず、私は途中で降ろされてしまった。私は思わず「やったぁ！」と叫び、自分の部屋に駆け込んで、生まれて初めて110番に電話した。

電話に出た人は、さっきの婦警とはくらべものにならないほど、手際のいい応対ではあったが、結局のところ、今現在お部屋に入られたのだから、別に文句ないでしょうということになり、私は再び辛酸をなめたのだった。

昔、自分の畑を近所の猫たちに荒らされたおじいさんが、怒って、自分の敷地に入って来た猫の足を次々にチョン切ってしまい、動物保護団体から抗議を受けているというニュースを見たことがある。ひどい話だとTVに向かって憤慨したが、今の私だとどうだろう？　ひょっとして、路上の車のタイヤにブシューと穴を開けて回るなんてぇ事をしかねないかも……。

いやいや、いけない！　ほんの少し、おじいさんの気分になりかけているかもしれぬ。

友達の貸し

ここのところ、また一段と寒さが増してきて、巷《ちまた》ではモウレツな風邪がはやっている。割と健康には自信ものの私の体なのだが、さすがに少々ばてぎみだ。

こんな時は、熱い風呂に入って、ホットカルピスなぞ飲んで寝るのが一番と思い、早く帰った。すると、蒲団に入るやいなや、枕元で電話が鳴った。

「オッスー、元気、寒いねぇ」

「何よ!?」

「何よって何よ。いきなりそりゃあないでしょ」

「だって私、風邪ぎみで、今寝るところだったんだもん」

「本当。私も少し前までひいてたけど、もう治ったよ。大丈夫横になってりゃあよくなるって。それより私の話、聞いて」

元気バリバリのK子が自慢げに、こんなことを言った。

「私さ、一昨日《おととい》から友達とスキーに行ってたんだけど、さっき帰って来たのよ。途中ものすごい渋滞でさあ、ほら、今日、日曜でしょ。皆、帰って来るんだよね、スキー客が。トイレもだんだん危なくなってくるし、ノドもカラカラだし、体はヘトヘト、頭はトロンでさあ。とにかく、けっこうきつかった訳よ。でも、まったく動かなくて、私もかなりカリカリきてたんだけど、そんな時、後の方から、ピーポー、ピーポー、ピーって音が聞こえてきて……」

「救急車!?」

「そう。救急車が来たのよ。『前の車、道を開けてください』って拡声器でがなりたてながら」

「へーえ」

「で、どうしたと思う」

「さあ??」

「救急車通した後、すぐにそのあとにひっついてやったのよ」

「え！」

「救急車の後にビシッとくっついて金魚のフンみたいになってド渋滞の道をぐり抜けたってわけよ」

「うっそ！」

「気分良かったわよ。映画の『十戒』みたいに道が左右にパーッとひらくのよ」

「あんた、叱られなかった!?」

「モチ。叱られた、叱られた。拡声器で『後ろの車、止まりなさい』って何度も言われたけど、向こうだって急いでいるから、私ばかりに構っちゃいられないわよね。なんてったって人命第一の救急車だもんね」

「あきれた。あんた、よくそんな事して平気でいられるよね」

「あら、だって私、救急車には『貸し』があるのよ。このくらいしてトントン」

「何よ『貸し』って」

高飛車なK子の話に私は啞然として、その理由《わけ》を尋ねた。

K子の「貸し」とは次のような話だった。

何年か前の正月のことだった。

正月の一日か二日、帰省ラッシュをさけて、K子は田舎に帰るつもりにしていた。

ところが除夜の鐘が鳴り出した頃から、頭痛がしだして、体中の骨がまるでバラバラになるみたいなシビレを感じはじめた。

少々の風邪なら、多少無理してでも実家に帰って治そうとK子は思ったのだが、ところがどうにもこうにも立ち上がれない。

仕方なくK子は薬を飲んでしばし横になっていた。

百八つの鐘も鳴りおわり、いよいよ年が明け、元日の朝を迎え、さらに夜になり、二日の昼過ぎになったが、K子の頭痛はおさまるどころか、なおいっそう、ひどくなってきた。おまけに、飲まず食わずで横になっているから、体の力もだいぶん尽きてきた。

さすがのK子も「このままじゃいけない！」と、体の力をふりしぼって、ついに119番したのだった。

そして電話の向こうの見知らぬ人に、彼女は、風邪でダウンしたのだが、正月で医者がどこも休みなので自分の家の近くで開いている医者を教えて欲しい、とだけ言った。

「苦しい、助けて、お願い救急車！」とは、断じて言わなかった。

ところが、親切な救急隊員の人々は、K子の蚊の鳴くような声から、危険な状態と判

断し、「そのまま動かず待っててください。すぐに行きますからね」と言ったかと思うと、あっという間に、けたたましいサイレン音と共にやって来て、K子の部屋の戸をたたいたのだ。

K子は救急車に乗るのが初めてで、多少抵抗はあったが、救急隊員のその白い服を見たとたんに、自分はただの風邪じゃなく、もっとすごい病気なんだという気持ちにカタッとかたむいてしまった。

真っ青になってふるえているK子を救急隊員たちは手際良く担架にのせると、

「あ、あのー、着替えと、オ、オサイフ、持って行きたいので、ちょっと待ってください」

と言うK子の声など、まったく無視して風のように彼女をさらって行ったのだった。

はたして約一時間後。病院のベッドに横たわる彼女に医者はこう言った。

「いやー、ただの風邪だねぇ。二、三日寝てりゃー、治るよ。何も食べてないからフラフラしてるけど、まっ、ビタミン注射打っといたから。おだいじね。はい、次の方〜」

診察室を出された彼女は、しばらくの間、一人ポツンと、まるでキツネにつままれたみたいになったという。

勿論、そこには、さっきの救急隊員は誰一人いないし、彼女はパジャマだし、お金もなければ、電話帳もなく、クツもはいてなかった。そして、ただの風邪の彼女を気づかう人は誰もおらず、彼女の事情を知る人もなく、外にはおまけに雪までちらついていた。夕暮れの雪の中、パジャマにスリッパでさまよった彼女の「貸し」のあわれな物語は、119番する時の教訓として、それ以降、私達仲間の間で、永く永く語り継がれたのだった。

恐怖便所

子供の頃、私は他所《よそ》のお家で、ウンチのできない子供でした。

今からは想像もつかぬ程、当時の私は神経質で偏クツな子供だったので、よそのトイレがとても恐かったし、また、人にトイレに行くのがわかってしまうのも、とても恥ずかしかったので、まあウンチに限らず、トイレに行くことそれ自体が嫌いでした。

しかし、子供なので、一人でよく外泊するなんてぇ事はない訳で、それ程困ることもなかったのですが、ただ夏休みなどに、長期で旅行に連れて行ってもらうとか、親戚の家へ泊る時などは、とても苦しかったのを今でも覚えています。

さてさて、こんなにも頑なだった私も次第にやわらかく、さらには図太く成長して、「ちょっと、お手洗い貸してね!」は平気のへのかっぱに言えるようになったのですが、大学に入学し、東京で生活するようになってから、なんと、この「トイレ嫌い病」が再発してしまったのです。

それは何故か!?

それは、都会に出て来て、引っ込み思案になって、またしてもトイレに行くのが恥ずかしくなったという訳ではけっしてありません。

勿論、私とて女の端くれですから、好きな人と、お茶やお酒してて、「ちょっと、ごめんねぇ」と中座してトイレに行くタイミングを結構気にしたりはします。が、気にするあまり、我慢し通すなんてことは、それにしてもありえないことです。

では、何故なのか。

それは、都会に出て来て、立て続けに女子トイレでチカンに出会ってしまったからなのでした。

中野駅のトイレでバッタリ。大学の地下トイレでバッタリ。早稲田松竹のトイレでバッタリ。渋谷の喫茶マジソンでバッタリ。横浜の中華街のパチンコ屋のトイレでバッタリ。東海道本線の列車のトイレでバッタリ。新宿図書館のトイレでバッタリ。上野動物園のトイレでバッタリ。その他、あちこちでバッタリ。

その手口は、

①隣りのボックスにいて、その上から、あるいは下からのぞき込む。
②元々、ボックスの中のいずれかに、こっそり忍び込んでいて、獲物が何処かに入ったら、思いっきり飛び出して行き、カギがかかる寸前、扉を外から押し、一緒に中に入りこもうとする。
③最初っから、自分の下半身をさらけ出し、トイレの中に籠《こも》り、扉を半開きの状態にして獲物を待つ。
などが、私の経験からするとあるようです。

特に、チカンが凶器を持って、この②番③番等の手口を使った場合、女性としては、トイレという密室の中、全く抵抗力を失うでしょうから、とても恐ろしいことだと思うのです。

私の場合、あやうい経験は数かぎりなくあっても、未だ未遂で済んでいるので、本当に不幸中の幸いだと思っているのですが、さすがに外のトイレに関しては、ひどく過敏になって、「トイレ嫌い病」が再発したというわけなのです。

お蔭で、人気《ひとけ》の少ないトイレには、まず近づけなくなったし、飲み屋、喫茶店の類のトイレでも、店内になく、雑居ビルの中の共同トイレだったりすると、かなり勇気を出さないと行けなくなってしまいました。そのうえ何といっても困るのが、映画を観に行った時です。それがたまたま、女性客がひどく少ない映画だったりした時は最悪です。自分の連れの男性に、「一緒にトイレについて来てぇー」なんて言えないので、たいがいの場合は我慢するのですが、それでもこらえきれぬ時は、「五分して私が戻らなかったら助けに来て」なんて言葉を相手に残して、決死の覚悟で行く訳です。

私はもう二度と、一人で公園のトイレにも、パチンコ屋のトイレにも、駅のトイレにも行かないつもりですが、この映画館に関してだけは、どうもあきらめきれないのです。いくら設計上とはいっても、何もスクリーンの横の、あんなに人気《ひとけ》のない奥まった所に作らなくてもいいと思うのですが、六〜七割のトイレはスクリーン横と相場が決まっています。上映中には、どうしても、人がロビーからいなくなって、トイレなんて誰もいなくなるんだから、何としても、女子トイレだけは、受け付けから目の届く所においてもらいたいと思うのです。

さもないと、一人で映画に行けなくなってしまう……。

まあ、そんなこんなで、私のトイレ嫌いは再発し、今もって依然続いているのですが、そんな折り、先日、ちょっと勇気づけられる代物を見つけたのです。

看護婦モノのドラマの撮影で、とある病院へ行った時、私はそこの掲示板にはってあった一枚のお知らせの紙を何とはなしに読んだのです。

「この8月の26日、豊島区西池袋の交差路の歩道橋脇で、婦女暴行事件がありました。その際、被害者の女性が、犯人の舌（1㎝×1㎝）をかみ切りました。犯人は逃走中ですが怪我をしている為、来院の恐れがあります。御注意下さい。尚、犯人は、年齢、24歳〜55歳の中肉中〜……」

何とも過激な出来事に、思わずゾクリとしてしまいましたが、いざという時、泣きねいりせず、最後まであきらめぬこの態度は、いやはや実におみごとだと、私は外出先でトイレに入るたび、勇気づけに思い出して入っている次第です。

フィリピンの王様

今日の自分がシャンかブスかを知りたかったら、家の中でいつまでも鏡とにらめっこしているより、タクシーに乗るのが断然はやい。

そりゃあ、乗せる方にしたって、いけ図々しいおばさんを乗せるより、自分の冗談にキャッキャッと笑ってくれる若い子を乗せた方が絶対に楽しいのはよくわかる。が、これが同一人物であっても、化粧の冴え一つで、ひどく運転手の態度が違うのは確かに否めない事実なのだ。

以前、「化粧の鬼」とあだ名されてた友人のK子に、何故そこまで塗るのかと尋ねたら、

「この方が何かと得するからよ」

と、言われたことがあったが、最近になってようやく彼女の言葉が私にもわかりかけ

てきた気がする。お化粧なんてちょっとした事なのだが、女と生まれたからには本当にそうなのだ。

二日酔いの腫《むく》んだ顔にジーパン、ズック、おまけにタコ焼きなんて買って持ってた日にゃあ、運転手は返事すらまともにしてくれない。忙しいのに乗せてやってんだ、ありがたく思えよブス！　ってな態度だ。これに比べて、ジュンコ・シマダのスレンダーなワンピースにマスカラばちばちもんで乗り込めば、運転手は懸命に近道を探し、追い越しビュンビュンで、おまけに領収証の五〜六枚も、気前良くくれたりするから、悲しいけれど人は見掛けだと思ってしまうのだ。

雨の木曜日の夕方、雑誌の取材で銀座に向けて、私はタクシーに乗った。

勿論、メークに抜かり無し。

お気に入りのジバンシーのローズピンクのルージュに、いただき物のチェックアンドスピークのミモザのコロンを使ってみた。そして今日の衣裳はタケオ・キクチのフレアワンピースだ。

百パーセント文句は言わせない自信を持って、私はゆったりと細巻きのタバコを燻《くゆ》らせて、窓外の景色を見つめていた。

と、そこに運転手のおじさんが、

「これからですか？」

と、早速声をかけてきた。何がこれからなのかと思ったが、そこは澄まして適当に答えた。

「今日は木曜だから、お互いに書き入れ時だねえ。頑張らなくっちゃ」

そう言われて、自分がこれから出勤する銀座のホステスだと思われていることがわかったが、これにも私は、ただ「はあ」とだけ言った。化粧がきつかったかな、とも思ったが、おじさんの口調がやさしかったので、とりたてて何も不満はなかった。

が、次におじさんが、

「お客さんの源氏名、エイコっていうんでしょ」

と、一段飛躍したことを言いだしたので、私も気取ってばかりはいられなくなった。

「エイコ!?」

「だって似てるもん、お客さん、瀬川瑛子に」

「瀬川瑛子……」

「ほらー、歌があたっちゃった人。苦労の末」

「……〃命くれない〃の人!?」

「そうそう。そっくり」

かなりのテンションで気取ってた私は、気分が演歌していなかったので、ちょっと肩透かしをくらったみたいになってしまい、思わず大声で、

「イヤダー、似てないわョー。そんな事言われたことないもん」

と地を出してしまった。

話にのってしまった私を見て、さらに調子づき、

「いや、似てる似てる。ソックリ。でもまあ俺のカアちゃんにも似てるかなー。ハハハ」

と、運転手は言った。

「まあ、奥さんも瀬川瑛子さんに」

「いやいや、お客さんにだよ。でも、俺のカアちゃんの方が若いかなー、へへへ」

そりゃあないだろう、おっさん!

とっさに、そう言いかけたが、グッとこらえた。だって、この運転手、どう見ても還暦はとっくに過ぎてそうな頭ツルツルのおじいさんなのだ。

小綺麗にしてて、こんな言われ方は、私も初めてだったので「奥さん、齢いくつ」と、声を太くして、きつく聞いてしまった。

「二十二だよ」

「ウッソー！　二十二？　そんなに若い奥さん」

「まあ、あんまりチョクチョクは会えないんだけどね」

そう言っておじさんは、車のダッシュボードから、数枚の写真を出して、私に見せてくれた。

なんと、その中には、孫娘のようなフィリピン人の可愛い女の子が、おじさんに肩を抱かれてニッコリ笑っていた。

「どお、若いでしょ、お客さんより。ハハハ。でもねぇ、フィリピンで暮らしてるから、時々しか会えないけど……。お客さん、俺ねえ、東京じゃあ、しがないタクシーの運転手で、大久保の三畳一間のボロアパートに住んでるけど、だけどフィリピンに行けば、ちょっとしたもんなんだよ。でっかい屋敷と、庭と、車があって、こんなに若くてピチピチした女房が俺の帰りを待ってるんだ。おまけに毎年俺は、町に寄付金を入れてるから、向こうじゃ名誉市民だし。町じゅうの人が俺にやさしくしてくれて、町じゅうの若い女が俺にウインクしてくるんだ。

へへ、東京じゃ、ボロアパートの隣りの奴の顔さえ見たこと無いっていうのにさぁー。お客さん、なんてったって、金は使いよう。うまくやりゃあ、俺みたいに町の王様にだってなれるんだから。ハハハ。まあ、人生いろいろだけどさぁ、お客さんも毎晩そうやって酔っ払いの相手して、体張って生きてんだぁ、疲れてボロボロになる前に、しこたまためて、その金、せいぜい有効につかいなよ。ねえ。はい着きました。いってらっしゃいよ」

狐につままれたみたいになって、領収証をもらう間もなく、出勤前!? の私は運転手のおじさんに送り出されてしまった。

ひとり暮らしのああ無情

夜中の二時、N子が突然電話をかけてきた。ウトウトしかけていた私は、N子の取り留めのない話し振りに、「で一体何なの用件は」と思わず声を尖らせた。が、別に……とN子はさして用もなさそうだ。じゃあ悪いけど、私今眠いからさぁ、明日かけなおすよ、と言って電話を切ろうとすると、「切らないで!!」と悲鳴に近い声でN子は縋《すが》ってきた。

「何よ。何かあるんなら言ったらいいじゃないの」

「ゴメン。本当にたいした事じゃないんだけど。ただね、ちょっと恐くって」

「恐い？」

「うん。恐いの」

「何が」

「何って言われても困るけど、なんとなくね、恐いんだよね」

「怖い本読んだとか、恐いビデオ見たとか、そういうの？」

「ううん、違う。さっきまで別になんともなかったんだけど……急に耳鳴りがしてね、キーンて。そしたら、消えてるテレビからパチンて小さく音がして、家具がミシッときしんで、台所の方で、積んであるお茶碗がカチャッて崩れる音がして……ねえ、あるでしょう、そういうの。自分の住みなれた部屋が、突然、寒々しく変な空間に思えることって……」

「うーん、まあねえ。でも、そういう時はさあ、夜中でもパアーって窓を開け放って、部屋の空気を入れかえるとスキッとするわよ、きっと」

「それがね、外、見た!? 月が真っ赤で、空が紫色でなまあたたかくて、まるで人狼《ウエアウルフ》が出没しそうな雰囲気だよ。かえって、まずいものが部屋の中に入ってきそうだから、あたし絶対に開けれない」

「人狼ねぇ……。いやなら開けなきゃいいけどさ。で、どうすんのよ」

「だから、もう少しだけ。恐くなくなるまでお願いだから、つき合って」

ひとり暮らしの友人は、日に日に、急激に減ってきているので、彼女が夜中に、こういった類《たぐい》のお縋《すが》り電話ができる所も、ごくごく限られてきているのはよくわかる。まあこれも、独り者の相互扶助と思って、私も眠い目をこすって彼女につき合うことにした。

しばらくの間、私たちは、共通の友人の噂話などしていたのだが、さすがに話は大して盛り上がらない。私の方が今いちシャッキリ目覚めてないのもあって、ポツリポツリと会話に穴があく。穴があくと彼女の方が、「そう言えばさあ、こないだね、とんでもない夢を見ちゃったんだけど、それが正夢でさぁ」などとどうもそっちよりの話題を提供してくる。

今夜の彼女は、やっぱりどうかしてて「嫌よ嫌よも好きのうち」なんだというのが、次第に私にもわかってきた。

電話をもらって一時間後、私の意気消沈ぶりとはうってかわって、彼女の方は妙に毒々しく元気になっていた。

「だからさあ、こんな風に脅えている晩にさあ、たとえばよ、この電話なんかが鳴っちゃって、受話器の向こう側から子供の声で『赤い靴』とか、『カゴメ、カゴメ』とか歌ってんのが聞こえてきたらどうする。超恐いでしょ。それ思うと私、今こうして電話中にしておいて、よそからかけられない状態にせずにはいられない訳よ。へへへ、ちなみにうち、キャッチホンじゃないし」

「……ヘェ……ソ……」

「しかしね、なんつったって本当に恐いのは死んだ人間の霊よりも、怨みを持った生きてる人間の霊で、それは、ヒタヒタとドアの鍵穴や、畳のすき間からしみ入ってくるらしいのよ」

「……ねぇ、せっかくつきあってるんだからさあ、もっとお互いに楽しくなる話、しようよ」

どうにもこうにも聞いてられず、私がこう提案すると、

「それが、自分でも楽しいことを喋りたいんだけど、口を開くとこんな話しか出てこない。変なのよ、自分でも。これってやっぱり絶対なにかここにいるわね。何かが私の口をかりてシゲルに恐い話をしているのよ」

と、ひどく不気味なことを言うのであった。なぐさめてあげてるはずの私は、仕舞いには背中に寒いものを感じ、手のひらにじっとり汗をかき、胸を慄《わなな》かせて、「お願い、もうやめて」と言って電話を切った。

受話器を置いた部屋の中、突然、私の中にキーンという耳鳴りが走り、マコヤナの葉っぱがガサリと揺れ、冷蔵庫のモーターがブーンとすごい音をたてて回りはじめた。真夜中の三時半、電話を許してくれる独身の友人は、私とて、もうそんなにはいない。しかし、一人、この恐い夜を乗り切る自信もないので必死にアドレス帳をめくりにめくった。

「はい。……もしもし……」

「あっ、B子、ゴメン、私だけど、寝てたでしょう。本当にゴメン。でも大変なの。生き霊がね、私の部屋にもうすぐ来る……いや、もう来てるかもしれない、畳のすき間から、……N子の生き霊が……」

朝方の四時、うんざり声のB子に教えてもらったまじないにドップリ縋《すが》って、私は丸鏡を左手に、塩を右手に持って、「逆うらみ返し……」「逆うらみ……お帰り……」とまじないを叫んで、N子の生き霊と戦ったのだった。

続・ひとり暮らしのああ無情

男が私の部屋を覗《のぞ》いているのを偶然目撃したのは、とても蒸し暑い八月の夜のことだった。

私はその日、朝からひどく不調で、仕事もはかばかしくゆかず、人と会っても衝突してしまい、おまけに財布まで何処かに落っことしてしまうというザマであった。

私はガックリ肩を落とし項垂《うなだ》れて、マンションの長い廊下を一人トボトボ歩いていた。あと五、六メートルで自分の部屋の鍵穴に手が届くといった距離の所で、それまで床面しか見ていなかった私は、はじめて頭をあげ正面を見た。

紺のTシャツに黄色の短パン、ビーチサンダルの男が、私の部屋の前で四つん這いになっている。その形は、徒競走の「ヨーイ」の姿勢で、男はお尻を高々と振り上げ、目をドアの下の方の牛乳ビンを入れる小窓に貼りつけていた。

目の前の男が覗き魔であることは一目瞭然だったが、私はこれを見てギョッとなるというより、むしろ不思議な気がした。

何故なら、「変な人に覗かれて恐い」というのは部屋の中にいる人間が思う感情で、「変な人が覗いているのを見かけて恐い」と思うかどうかは、全く別の問題ではないかと思ったからだ。第一、この男が覗きたがっているのは一体何なのか。それを考えると、さらに複雑な気持ちになった。

中の電気は消え、私の部屋は真っ暗なのだ。電気が消えているということは、留守か、すでに眠っているかのいずれかになると思うのだが、時間はまだ午後の九時半、普通の大人なら、まだまだこれからという頃だ。

もし、この男が時間に対して常識的な感覚をもっていたとしたなら、わかっていながら、無人の真っ暗な部屋を必死になって覗いているということになってしまう。私自身を覗こうとしていて、逆に私に今、覗かれているという、何とも滑稽な解釈に比べたら、このことの方がはるかに理解しがたく、なんとも謎めいた感じがするではないか。

さて、「どうしたものか!!」と思案している私に、一向に気付く様子もなく、男は黙々と、ただ暗闇を見つめていた。

私の方にしても、キャーッと叫ぶにはちょっと時間がたちすぎて、今さらという感じがあったし、だからといって「もしもし」と肩をたたき「何か御用？」と言ってしまったのでは、この男と私の、被害者と加害者という関係を曖昧《あいまい》にしてしまって、それはそれで絶対に良くないとも思った。

いろいろ考えたが、結局私は、自分の履いていたリーボックのスニーカーを静かに脱いで、あと二、三歩前に進んで男に投げつけることにした。

自分の行動を決定すると、おかしなもので、朝から鬱憤《うっぷん》がたまりにたまりきっていたせいもあって、私の中で「そうだ、こいつが全部悪いんだ」という憎しみの気持ちが、にわかに高まった。

「コノヤロ！　何やってやがるーっ」

腹いせに出した声は、自分でもびっくりする程太く、力いっぱい投げたスニーカーも、バコンという鈍い音をたてて、みごとに男の側頭部に命中した。

そして驚いた覗き魔は、ヒャーっと言いながら、脇の非常階段から脱兎のごとく逃げて行った。……否……行くはずだった。

男は「ヨーイ」の姿勢のあと、こめかみに「ドーン」ときて、その後駆け出せず、スタートライン上に尻もちをついてしまったのだった。いや、尻もちというより腰を抜かしてしまったと言った方が相応《ふさわ》しいようで、ポカンと口を開けたまま立ち上がれずにじっとしていた。

次の手をお互い何も出せぬまま、私たちはしばらくの間、とくと見つめ合った。

向こうもとても困ったと思うけれど、こういう場合、私の方も非常に困る。

私が大男であるとか、何か特に武芸に長じているというのであれば、すぐさま馬乗りになって二、三発くらわすなり、交番へひっぱって行くなり、いろいろ方法はあると思うけど、残念ながら、私はゴキブリも殺せない婦女子なのだ。だから、さっきのは私の精一杯の見得《みえ》切りだったのに、それを相手に予定外の動きをされては本当に困る。せめて私に向かってでも来てくれれば、こちらとしても対策があるのだが……。仕方がない、こうなったら、私にできることといったら、もう一度、男に罵声を浴びせるか、もう片方のスニーカーを投げるぐらいしかないのだ。

そこで私は再度、依然地べたにへたり込んだままの男に向かって、満身の力をこめて、もう片方のスニーカーを「フンッ」とふり上げ威嚇した。

男は、「ああ助かった。僕もそのきっかけを待っていたんですよ」と言わんばかりのタイミングで立ち上がり、転げるように非常階段を降りて逃げて行ったのであった。

男がいなくなって、私の心臓は急にドキドキ、足はガクガクし始めた。

一刻もはやく部屋の中へ入り、チェーンもかけて、この牛乳入れの小窓をふさいでしまいたかった。

が、スニーカーを拾いあげようとした私は、ふとその小窓が気になり、男がやっていたのと同じ、「ヨーイ」の形になり、自分の部屋を覗いてみたのだ。

そこには、椿山荘のほたる狩りでとってきたほたるが数匹で、青白い光を作っていた。私の脱ぎっぱなしのワンピースやスリップやストッキングが、ベッドの上からだらり垂れ下がっていて、それらは、彼らが放つ青白い光の中でポッと浮かんだり消えたりしているのだった。

別れる理由

最近、男友達が離婚した。それも三人も離婚したのだった。いずれも一昨年の秋に結ばれて、昨年の冬、そう、丁度ベルリンの壁が壊れた頃、皆散り散りになっていったのだ。

別に、私なんてまだお嫁すらなってみたことがないので、奴等が離婚しようと、「いいじゃん、一度は結婚できたんだから！」ぐらいにしか同情しようがないのだけれど……。ただ、私が少し興味深く思ったのは、この三人の男友達の離婚が、そろいもそろってまったく同じ理由によるものであったということだった。

A君は二十九歳で、某有名化粧品会社勤務。B君は三十一歳で某有名広告代理店勤務。C君は三十二歳で某大手食品メーカー勤務。

いずれも、短大を卒業して入社して来たA′子、B′子、C′子（皆、東京都出身）をひと目で気にいり、くどきまくって一年ご交際の後みごとゴールイン。花嫁は皆さん「まだ若いから」の理由で、全員専業主婦にはならず、共働きで新婚生活をスタートさせた。

ちなみに、私は彼女達に各々《おのおの》三回ずつ会ったことがある。

A君からもB君からもC君からも電話をもらって、「会わせたいのがいるから」と言われ、結婚式前に一度飲み、それから三万円の御祝儀を持って出掛けた式の当日、二人の前で一曲歌い、そして式後、新婚家庭に招かれて花嫁の手料理を各一回ずつ御馳走になった。

三度とも、どのカップルも「いつまでもやってろよ!!」と言いたくなるようなベタベタぶりで、私などは、いつもその帰り道、「どうして私だけが……」病に陥ったものだった。なのに……。

「別れたって、一体理由は何なのよ?」

突然の打ち明け話に驚いて私は尋ねた。

「それは、率直に言って、うちの冷蔵庫の中が腐っているからだ!」

と、A君は爆発するような言い方をして、こう続けた。

「今から思えば、本当に好きだったかどうかもよくわからないけど……。いや、俺たちサラリーマンて、結婚してやっと一人前に見てもらえるところがあるから、結構あせってたんだよ俺も。で、若くてかわいいしさ、しっかりもしてみえたし……、でも、ちっともしっかりなんかしてねぇ。俺、こんなこと、恥ずかしくて誰にも話したことないんだけど、実は朝メシ食って会社行ったことないんだ。ワイシャツのクリーニングだって全部自分で出してるし。とにかく、あいつってだらしないんだよ。掃除もほとんど俺だし、一年間、蒲団ほすところも、針持つとこも見たことないよ。おまけに冷蔵庫の中はゴミ溜めだぜー……。

ちっともわかんなかったよなー。見た目があんなに清潔そうだもんなー、まさか冷蔵庫腐ってるなんて思わないよなあ。あれじゃあサギだよ。でも、それでも俺、やさしく注意したの。朝ゴハン食べたいよって……。そしたら自分も会社行かなきゃならないから無理だって……。そんなら子供でもそろそろ作って会社やめろって言ったら、まだ嫌だって言いやがってよー。まあ、子供作んなかったのが、結果、不幸中の幸いだったけど……」

B君もC君も離婚の原因はまったく同じで、両家とも5ドア《ファイブ》ー両面開きの冷蔵庫は泥濘《ぬかる》んでいたそうだ。

清潔そうな箱入り娘の冷蔵庫が腐るとは夢々思わなかったと、皆、口をそろえて言っていたけど、「箱入り娘が、どんな箱に入っていたか、あんたちゃんと見たの!?」と私は言いたい気分だった。

何にせよ、結婚式で御祝儀にあげた三万円が、もしかして冷蔵庫の中で腐ったかと思うとちょっとむなしい気がする。

だから、早くも、若いＯＬに恋している友人が、再び結婚すると言ってきた時には、私は絶対に腐らない、何か硬そうな物を送ろうかと今から決めている。

安全パイ

二年くらい前に、私の友人A君は、ある劇団に制作スタッフとして入団した。

その劇団の大ファンだった彼は当初、入団できたことを、ただただ大喜びしていたのだけれど、ある日、深刻そうな顔つきで私にこう言ってきた。

「うちの劇団の人ってさぁ、皆そりゃーいい人ばかりで、俺、本当にラッキーって思ってるんだけど、……だけど……、ちょっと気になることがあって……つまりその一、男の人の中で、男なんだけど、絶対にこいつ男じゃないなー、……男優や男のスタッフまで色っぽい話し方するっていうか……いや、はっきり言ってしまおう。はっきり言って、あらかたホモ、いやオカマなんだ。どうしよう!?」

オカマの人が、こんなに大勢溢れている東京の空の下で生活している今、私としては、A君の告白に、それほど驚いてあげることはできなかった。

私がしてあげられることといえば、来週から劇団で海外公演をやると脅えているA君が、無事男のまま帰って来られるように、心密かに願っていてあげることぐらいのものだった。

さてさて、それから二カ月後。

「いやー、帰って来ちゃったよ。え!? 馬鹿、勿論、俺はちゃんと男のままだ」

と、リキリキしてA君から電話があった。

A君の話をまとめると……。

南国のホテルに着くやいなや、いきなりA君の部屋にだけクーラーがなかった。フロントに言っても、満室で部屋を替えてもらえなかったという。

さっそく、同情してくれたオカマさんたちから「私の部屋へいらっしゃい」攻撃が夜な夜な始まってしまった。

四日目ぐらいまではA君も熱帯夜に耐えながら、まだこの方がましだと思っていたというが、さすがに不眠が続き仕事にまで影響してきたので、ついにオカマさんたちのご好意(?)に甘えざるを得なくなった。

A君は、万一、相手が事におよんできたら、傷つけぬように丁重にお断わりしようと、ドキドキして考えながら、ツインベッドの片側にねむった。

幸い、この日は何事もなく無事A君は朝を迎えることができた。そして翌日、同じ覚悟で別のオカマの方の部屋にお邪魔したが、やっぱりそこでも何も起こらなかった。次第に何故だ？　と思いながらも結局A君は、オカマとおぼしき方々全ての部屋に泊まってしまった。

さすがのA君も、男のプライド（？）が少し傷ついたのか、明日は日本という晩に、世話になったオカマさんの一人に勇気を振りしぼって、どうして皆、俺を抱かないの、と尋ねたという。

するとオカマさんは、

「何ていうのかしらー、私達からみるとさぁ、あんたって、安全パイっていうのかなー、あんた自身にはホモっ気が全くないし、私達から見ても、ちっともそんな気にならない、触りたくもないタイプっていうのー、純粋にずっとただのお友達でいられるっていう存在なのよ。ほら、よくさぁ、オカマとばっか仲良くなって、ひっついて酒飲んでる女の子っているじゃないの。ああゆうの私ら、『オコゲ』って呼んでるんだけどさぁ、あんたみたいな人のことは、何て呼べばいいのかしらねぇ、アハハハハ」

と、わかりやすく答えてくれたそうだ。

受話器を置いて、ああこれが本当の男の勘ちがいだと私は失笑してしまった。そして、今やこんな男どうしの勘ちがいは、あちこちにあるんだろうなぁと思うと同時に、女の子の勘ちがいはどうだろうと考えてしまった。

ホモの男だと知らずに恋してしまう女の子も、きっと多いにちがいない。

妙に女の子の好きなものを知っていて、いろいろファッションのアドバイスなんかもしてくれるし、女の子の喜ぶ言葉も知っていて、電話をすれば、やさしくあしらってもくれる。

他の男たちと違って、なかなか自分に手を出さないそんな彼を見て、女の子は「きっと私のこと、大事に思ってくれてるからだわ」とすごい勘ちがいをしてしまうにちがいない。

しかし、この勘ちがいばかりは少々泣きをみそうなので、色男のホモの方、お手やわらかに。

自由恋愛

「女の人を金で買う」という行為について。

「金で買う」というと、まあ代表的なのはソープランドですが、ソープランドっていうのは、ちょっと前はトルコって呼ばれてたわけですね。

で、私が子供の頃、私の町にはこのトルコってものが、全く無くって、ある日、テレビかなんかで、トルコという言葉を発見して「トルコって何だ？」と思い、母に尋ねたところ、ものすごい勢いでホッペを三つ程、ペシペシやられて、訳もわからず泣いた記憶があります（余談ですが、小学校二年の時、コンドームをひき出しから見つけて、父に何だ？ と尋ねたら、父はやさしく「大人になったらお前も必要になるけど、今はどうでもいいもんだ」と言ってくれたのに……）。

そして以後、トルコという言葉に不信感をいだきながら過敏になり、そのうち、ちょっといやらしい場所なんだと理解するようになってしまいました。

さらにそれから、私の町にはサウナができた訳なんですが、子供の私は、すっかりこのサウナとトルコを一緒にしてしまって、サウナの前で張り込んでいたことだってありました。そして男の人以外に、近所のおばさんや小学校の同級生までが入って行くのを見て、びっくりぎょうてんして、ますます訳がわからなくなったこともあったものです。

今は私も大人なので、トルコとサウナがどう違うか、だいたいは知っているつもりですが、相変わらず、富山の私の田舎町には、まだ旧「トルコ」なるものはありません。

さて、私の知り合いに、もうこの夏で四十歳にもなろうというのに、まだ一度もいわゆるシロウトの女の人と寝たことが無いという人がいます。セックスは全てソープランドで、という人なんですが、話を聞くと、だからと言ってソープランド嬢には恋をしないというんです。好きになるのは普通の女の人なんだけど、逆に手さえ握れないんだと悩んでいました。

私が、何か子供の頃の家庭環境にでも、問題があったのでは!?と、尋ねると、彼は、そんなはずはない、僕の兄なんか、これまで一度だって女の人を金で買ったことがないし、金で絶対に買わない！　というのが兄の主義なんだ、と言って次のような面白い話を聞かせてくれました。

「僕の兄さん、先月、仕事で、アフリカのマダガスカルへ行ったんだ。マダガスカルって所はめっぽうきれいなハーフの女の子が多い町で、しかも港町で、皆、目がウルウルしてて、けっこう恋したくなるムードがムンムン漂ってるらしいんだ。でね、行っちゃったわけだよ、僕の兄さんも、町のディスコに。絶対金では買わないけど、自由恋愛ならドンドンOKの人だからね、うちの兄さんは。それでもって勿論しちゃった訳だねー、自由恋愛を、スペイン系の顔したエキゾチックな美人と。目と目があって、港のそばのホテルに直行し、二人は恋の炎をメラメラと燃やしたんだとさ。それでその夜は、当然彼女はそのまま自分の腕のなかで眠るもんだとばかり思っていたのに、やることをやっちゃうと、彼女の方は、さっさと帰り仕度を始めたそうなんだ。これは残念だと兄さんが一人窓辺でタバコをくゆらせていると、突然背中に抱きついてきて『家が遠くてもう帰れないの、タクシー代をちょうだい』と言ったそうだ。兄さんは、可哀そうにタクシー代もないのか、と思い、ほんとうにただのタクシー代のつもりで千フラン渡したっていうんだよ。

ところがね、後々皆にこの時の話をすると、『千フランは現地ではものすごい大金。

エリートの一カ月の給料が七千フランっていうし、千フランだと一日のタクシーの売り上げぐらいだ。結局、ついにお前も女を金で買ったんだ』って言われたって、ひどく悩んでるんだよ。兄としては渋谷から練馬に帰るくらいのタクシー料金をあげたつもりだったらしいんだなー。兄の思いちがいだったわけだけど、これってさぁ、本当に金で買ったことになるのかなぁ、どう思う、滋ちゃん」

どう思うと聞かれても、トルコとサウナすら混同していた私にはむずかしすぎて……ねぇ。

キス

今時の子供達なんかは、きっと違うのだろうけど、私が子供の頃は、テレビのキスシーンや抱擁シーンを、自発的に紗《しゃ》をかけて見ていた。

男の人と女の人が、目と目を見つめ合わせ㋰㋰のムードになったと察知すると、すぐさまみずから、セルロイドのしたじきを顔面にもってきたり、手で顔を被い、指と指のすき間から、覗き見る体勢を形づくったりしたものだ。

この時むずかしいのが、これはそろそろ㋰㋰のムードになるぞ、というのを素早くキャッチする感覚だ。ただボーッと見ていると、いきなり突然㋰㋰が始まってしまって、びっくりしてしまうことも、よくあるのだった。

㋰㋰㋰は、たいがい、男の人が、場の雰囲気を盛り上げて、イニシアチブを取ってゆくケースが多いと思うのだが、私にはちょっと変わった㋰㋰㋰の思い出がある。

大学の頃、私は喫茶店で少し変わった男の人にナンパされたことがある。

彼は時々デートに誘ってくれて、映画を観に行ったり、コンサートに出掛けたりした。

彼という人は、映画を観ている時は映画に、音楽を聴く時は音楽にひどく集中する人で、帰り近くになると、今度は急に私に集中してきて、いっきにこの㋰㋰㋰にもって行こうとするタイプだった。

急に公園に行こうと言い出し、公園に着くといきなり、

「あのー、キスしていいですか!?」

と、真剣に尋ねてくる。

「ああ? ええ、はいはい、どうぞどうぞ」

とは、さすがに私も言えるはずがないので、

「いえ、あのー、今はちょっと、困りますねぇ」

と、しっかりお返事する。

「ああそっかー、いやですか。ハハハ、じゃあ仕方ないねぇ、帰りましょう、送りますよ」

と、彼は、それ以上絶対に無理じいすることはなかった。

そしてまた次のデートの時、カウンターバーかなんかで、お酒を飲んでいて、いきなり店内で、

「あのー、キスしていいですか」

と、尋ねてくるのだった。

私も、そんな嫌な相手なら、のこのこいろんな所について行くはずもないので、

「はい、どうぞ、ＯＫ！　ＯＫ！」

と、一度ぐらい、言ってみても悪くはなかったと思うのだが、あんなふうにあらたまって確認をとられると、一応私もつい、「いえ、今は……」とか「そんな困ります人前で……」なんて言った方がいいもんだろうという具合になってしまった。

それでもさらにもうひと押ししてくれたら、私だって㋰㋰㋰の体勢に自然に入ってゆけたかもしれないのに、彼という人は、一度拒否されると、あとは本当にキッパリ、パッキリしている人だった。

まあ、そんなこんなで、結局私たちは、何度もデートを重ねながら、ついに一度も手さえ握り合うこともなく、自然に会わなくなった。

さて、そして先日。

何かの番組で、私は少し調子に乗って、この話をしてしまった。すると、その番組に御対面コーナーみたいなのがあって、何と彼を捜し、そして呼んでしまったのだ。

突然のことで、私はかなりびっくりしたが、彼は今でも見るからに好感のもてる、折目正しそうな、きちっとした人だった。

番組の後、二人で久し振りに食事をし、お酒を飲んだが、さすがにもう一児のパパになっている彼は「キスしていいですか」とは尋ねてこなかった。

その代わり、彼は私にこんな話をしてくれた。

「滋ちゃん、山手線を歩いて一周してみたことある？　僕ね、今の女房と知り合った頃、二人でよく山手線一周したんだ。何も喋らないで、ただ黙々と一緒に歩くんだよ。いいよー、歩くって……歩きながらね、僕は、ああ僕には彼女だって思ったんだ。特別なこと僕は何も言わなかったけど、僕の心の中に生まれてくる、いろんな思いを彼女も感じとってくれるのがよくわかったんだ。そして、あれからずっと僕たちは一緒に歩いているんだ」

うーん、本当にやるときは、やっぱ、きめてくれるもんだ。……むむむむ。

東海道線最終便屈辱事件

「この間ね、一人で映画観に行ったら、やっぱり痴漢にあっちゃった。私、映画館一人で行くとほぼ百発百中。純粋に観賞してんのにさぁ。あれって『一人映画を観る女は淋しい』っていう痴漢側の偏見だと思うなー」

これは私が深夜、友人を電話で起こして喋ったセリフだが、これに対して友人は、

「私は二十七歳から一人でどんな暗く恐い所へ行っても、誰も何もしなくなった。あんたが、今なおそんな目にあうのは、あんた自身にスキがあるのよ。今何時だと思ってる！（ガチャ）」

と、冷たく言い放ち、電話を切ってしまった。

自分では決して余分なスキは無いつもりなのだが、痴漢側から見てはたしてそれはどうだろう。

私は確かにひやりとする経験が多い。

あれは、大学一年の頃、夏のおわりの日。交通量調査のバイトで平塚まで出掛け、最終便の東海道本線に乗って下宿へ帰る途中だった。

私は列車のドア脇のボックスになっていない座席で、五島勉氏の『ノストラダムスの大予言』を読んでいた。一九九九年地球滅亡の予言を真剣に考えていると、真正面の席の男が、

「あの、すみません、読書中に……」

突然、声をかけてきた。

「はあ」

私が首をかしげると、

「本当に申し訳ないんですけど、ティッシュ貸して欲しいんですけど」

と、言ってきた。普通のサラリーマン風の男だ。ティッシュはバッグの中に入っていたが、一九九九年に地球が終わってしまうかもしれないというのに、そんな物、貸してる暇はない。

「ないです！」

きっぱり素早く答えて、私はまた予言の話に夢中になっていった。

さらに二、三分たった頃、男は、

「あのー、ティッシュが無かったら、なにか他の紙ないかなー」

再び言ってきた。

鼻をかむのに他の紙もないだろうに、と思いながら、私は首を横に振ったが、目は男の膝の上にひろがっている新聞紙にいった。

「紙なら、自分で持ってるくせに、変な奴……」

男の顔に一瞥をくれて私はまたプイと自分の本に気を戻した。

本の字を夢中で追いかけていると、今度は新聞紙のガサガサ揺れる耳ざわりな音が、激しくしだした。再三のことに、さすがに私も少しむかついて、今度は大きく溜息をつきながら男を見上げた。

するとどうだろう、男はドロンとした目を私に向け、顔を真っ赤にして「うっうっ」と小さく呻き声をあげている。

そしてなんと、男の腰のまわりでバサバサ揺れている新聞紙のすき間から、隠し入れた男の手の動きがはっきり見えてしまった。

死ぬ程びっくりして私が立ち上がるのとほぼ同時に、男は、

「ねえちゃん、ハンカチでもいいーんーだ――ウウウ――」

と、ものすごい声で叫んだ。

そして、逃げようとする私の手を、後ろからドロドロする手でつかんできた。

私は「ギャーッ」と悲鳴をあげて全力で男を振り払い、助けを求めて、次の車両、そしてまた次の車両と走りまくった。

必死で、人の比較的多い車両に辿り着いたが、恐いのと気持ち悪いのと情けないのとで、気がすっかり動転した。一刻もはやくつかまれた右手を洗いたかった。が、今降りると、もう電車がなくなり帰れなくなるという判断力はかろうじてあり、それが私に見知らぬ駅に降りるのを思いとどまらせた。

腐ってゆく右手を左手で持ちながら、私は絶望的な気持ちでドアにもたれ立ちつくしていた。

やがて、横浜をすぎたあたりの駅で、ポンと後ろから肩をたたかれた。

そこにはなんと、あの男が立っていた。そして、

「おう、ねえちゃん、さっきはどうもねぇー」

まるで銭湯の番台を通り抜ける時のような気やすさで、男は言い捨て降りて行った。それは「知ってて協力したくせに」と、共犯者の烙印を強引に押してゆくような言い方だった。

「何て街だ！」

思えば、これが、私が東京に来て初めて味わった屈辱だったような気がする。

「泣きゃー世の中渡れると思っとる！」

今はもう、そうでもないのだろうけど、二十数年前の北陸は富山にある私の田舎の各家庭には、戸主をてっぺんに崇めた男性優位のピラミッド型の家長制度が残っていた。

母の実家なぞは、その最たるもので、「富山の薬売り」専用の薬工場を営んでいる明治生まれのおじいちゃんがその全権を握り、バリバリ働いていた。

この家は、三世代同居プラスまだ結婚していない母の弟たちも住んでいたので、なにしろ大家族であった。そしてその大家族たちはすべて、おじいちゃんを中心に動いていた。お金のこと、家内外の行事にはじまって、細かい日常のこと、すべておじいちゃんがしきっていた。

例えばお風呂。もちろん、おじいちゃんがまず入り、年の順に男の人が使い終わるのを待って、女の人たちが入った。年の若いお嫁さんが一番最後の仕舞い風呂というのに入った。

食事に至っては、おじいちゃんの御膳にはお刺し身やおかしらつきなど、他の人よりおかずが多く置かれてあった。

夕御飯になると、おじいちゃんはいつも十六畳ぐらいの座敷に一人で、塗りの御膳で食べ、あとの皆は襖を開けた次の間で食べた。勿論次の間には次の間の席順というものがあった。

おじいちゃんが着席し、今日一日の出来事とか世間話とか反省とか、皆への叱咤激励を酒をチビチビやりながらひとしきり話し、「さて、いただきます」と、合掌するのを待って、他の皆はやっと食事にありつけた。

さて、当時、小学校一年生の外孫の私は、このおじいちゃんのめっぽうお気に入りだった。

私は時々遊びに行って、一緒に一番風呂に入ったり、専用のおかずを失敬したり、横に寝て乃木将軍の話を聞かせてもらったり、けっこうVIPな扱いを受けていた。

ある日のことだ。

いつものように、学校帰りに工場をのぞくと、おじいちゃんは、

「おお、来たか、来たか！」

と、ことさら上機嫌だった。

そして、

「シゲルが来たからトリでも食うか」

と言って、裏の庭から一羽のニワトリを抱えてきた。

母屋の台所で、おじいちゃんは嫌がるニワトリの首を「コキッ」とひとひねりし、出刃包丁でバッサリやったあと、逆さにしてドクドクと血を抜いていった。さらに、そのグッタリした体から羽根をむしりとり、あっという間に、ニワトリは首なしの丸ハダカになってしまった。

夕飯時。いつものように、おじいちゃんの話があり、「いただきます」の合図と共に、細かくきざまれたニワトリは焼かれはじめた。

私はものすごく嫌で、一刻もはやく、その場を離れたくて仕方がなかった。でも、「シゲルに食べさせたくて」とニコニコ言うおじいちゃんに悪くて、なんとか気持ちをおさえ、みそ汁をすすってごまかしていた。

しかし、嫌がっているのがばれるのに、そう時間はかからなかった。

「どうして、せっかくのお前のためのニワトリなのに食べないんだ。ほら、おいしいから食べてごらん」

おじいちゃんは嫌がる私の口元に、ニワトリを押しつけてきた。私はその肉が、自分のくちびるにふれた瞬間、火がついたように泣き出した。泣いて嫌だと反抗した。

「バカモン！　なぜ皆が食える物をお前も食えんのだ。我儘もたいがいにしろ。やっぱり女は、これだから嫌だ。こんなガキの時から、すぐに泣きゃー世の中うまく渡れると思い込んどる。食えなきゃ、ワシが、力ずくでも食わしてやる！」

おじいちゃんは私の口を無理やりこじ開け、一片の肉を放り込んだ。

一瞬ショックで目の前が白くなった気さえしたが、私はなんとか肉をはき出さず、口の中におしとどめた。

そして「畜生」と思って、思わずかみしめた歯と歯の中のニワトリの味を、心ならずもおいしいと思ってしまったのを今でも悲しくおぼえている。

沈黙は金

少し前の話だが、留守番電話に、月刊Sから原稿依頼のメッセージが入っていた。

折り返し、電話を入れてみたところ、Aさんという編集の男の人が出てきて、

「あっ!! 室井さんですか。本日はわざわざお電話いただき、大変恐縮です」

と、とても丁寧な様子だった。

私とAさんは会って打ち合わせをすることになり、その日時や場所を決めた。そして
さらに、話が少し仕事の内容に差しかかった時であった。

「す、すみません!!」

いきなり、本当にいきなりだ。

「突然ですが、ぼ、ぼく、残念ながら、これ以上電話できない状態になってしまいました。詳しい話は後日。では（ガチャ）」

電話は頭のバカ丁寧さとは打って変わって、無謀な切れ方をした。

これ以上電話できない状態とは一体どんな状態だろう。

おかげで私はその後しばらくじっとして、その状態というのをいくつも想像して時間をつぶしてしまった。

そして、やがて○月×日。

私達は、飯田橋近くのティーラウンジで待ち合わせた。

私は約束の五分前に入り、一人でお茶している男の人を、ひと通り見回してから席に着いた。五分たち、時計の長針がピッと十二を差した時、私の前方の奥の席から男の人が立ち上がり、真っ赤なバラの花束を抱きかかえて、こちらへ歩いて来た。

彼の視線が、あまりに一途に私に向かっていたので、私はすぐに「こいつだ!」と思った。

しかし、私の前に現われた彼は、気の毒なくらいガチンガチンで、

「こ、こ、こんにちは、ゲッ月刊Sの……あのぉ、こ、これ……」

と、顔を急に九十度も横にそらし、バラの花を差し出した。着席しても、しばらくの間、彼は、たった今自分がやった行為を消化しきれないかのようにみえた。

「そこまで照れるのに、ここまでやるう――!!」

私は内心とても可笑しかったが、

「本当にありがとう、私、バラの花、大好きです……いつも女の方に、こんなふうになさるの?」

と、わりとダイレクトに聞いてしまった。

「いえ、こんなこと生まれて初めてです。一度、どうしてもやってみたかったことの一つだったので、今日やらせていただきました。それでは」

彼は思いつめたように言うと、何やら紙を出し、すぐさま打ち合わせの態勢に入った。が、しかし、彼の用件は見事にその一枚の紙に簡潔に書かれてあったので、私の「わかりました」の一言で、打ち合わせはコーヒーが来る前にあっけなく済んでしまった。

そして、ここでしばしの沈黙が流れた。……沈黙……沈黙……沈黙……沈黙沈黙沈黙。

何故だ!? 何故彼は喋らないんだろう。私は、この沈黙の長さが少し尋常でないのに、(?)と思った。見ればAさんの顔はやや赤みがかって苦しそうで、冷や汗さえかいているではないか。スーツ姿にバラの花と、かなり軽目なスタートを切ってくれたのに、ここで押し黙られたのではたまらない。しかもこれは仕事なのだ。

いたたまれず私は、咳払いをし、「何か他に？」とピシャリ言った。すると今度は、彼はポケットから別の紙を出し、何故かこれをチラチラ見ながら、堰《せき》を切ったように、たて続けに質問をあびせかけてきた。

その内容は、生いたち、好きな食べ物、好きな映画、旅行したい所、他の女優にいじめられたことがあるか……など、ほぼ仕事の打ち合わせとは無関係なもの。そして、私が一問答えるたびに、彼はその答えを簡潔にまとめて、「それは〜ということですね」と確認し、ボールペンで自分の紙に書かれた質問の文字に線を入れて消してゆくのであった。

この様子を見て、私は先日の不審な電話の切り方にも合点がいったが、あがり性のおまわりさんに落とし物を届け、チェックされてるようで、変な気分だった。

さてその後、彼は相変わらず自分のセリフを紙に書いて原稿を取りにきていたが、さすがに私も、ついには「いい加減にしろ！」と言ってしまった。

彼も努力のかいあって、今では私の目を見、「日本のシェールを目指せ！」とヌケヌケと言えるようになったのである。

K君の三人の恋人

私の友人のK君は、「気がやさしくて力持ち」の典型のような人だ。体は、『ガリバー旅行記』のガリバーのように大きいのだが、ものすごい淋しがり屋なのだ。

長崎の田舎から上京したての頃など、東京が珍しいというよりも、ただただひとり暮らしが淋しくて、毎晩、居酒屋に入りびたっていた。そして、そこで意気投合した女の子に、かたっぱしから、

「ねぇ、僕と一緒に住もうよ！」

と、誘いかけていた。

ある日、K君の誘いにのった女の子A子さんが彼のアパートにやって来て、めでたく同棲生活をスタートさせることとあいなった。

A子さんは、K君が抱きしめると、パキッと折れそうなくらい細くてキュートな美容専門学校の学生だった。居酒屋で飲んだくれていたとは思えないほど愛らしいと、K君は幸せ一杯の気分だったのだが、一つだけ問題があった。それは、A子さんがある宗教のとても敬虔《けいけん》な信者で、毎朝五時に起き、何やらお経を二時間も唱え続けるということだった。

K君は、宗教にはまったく興味がなかったので、彼女が何をしようと、さして気にはならなかったのだが、時間が時間でしかも毎朝だったので、少し不眠ぎみになった。

しかしK君は、淋しいよりうるさい方がまし、と耳センをして眠るようになった。

ところが、やがて一カ月たち耳センが体になじんだ頃、A子さんは、眠っているK君をたたき起こして、「あなたも一緒に唱えて欲しいの」と、オルグるようになってしまった。

これにはさすがのK君も勘弁してくださいと丁寧におことわりして、A子さんに大きな仏壇ともども部屋を出て行ってもらったのだった。

A子さんがいなくなって、淋しさもひとしおになった頃、K君は、またしても居酒屋へ出掛けた。

そして二人目の女の子B子さんと出会った。

「君、宗教は？」の質問に、「私は無神論者よ」と快活に答えて、B子さんはK君のアパートにやって来た。

B子さんは、ボーイッシュな感じのなかなか頭の良い女の子だった。飲み屋でひっかけたとは思えないほど、賢くて冴えた女の子だと、K君は幸せ一杯の気分だったのだが、ある日やっぱり問題が起こった。

B子さんは当時ではもう珍しい学生運動をやっていて、彼女のセクトは民青だったのだ。

日曜の朝に赤旗新聞をくばりに行こうとする彼女に、K君が「実は僕もやってるんだ。僕は……、僕は社青同解放派だ」と、静かに打ちあけると、B子さんはガックリうなだれ、新聞をかかえたまま、さよならも言わずに去って行った。

思想の違いは大きい、とK君はくちびるをかみしめて、ふたたび居酒屋へ出掛けた。

そして連れて帰ったのがC子さんだった。C子さんは、宗教も学生運動も何もしていない普通の女の子だった。飲み屋でひっかけたとは思えないほど、おとなしくて密《ひそ》やかな女の子だと、K君は幸せ一杯の気分だったのだが、それでもやっぱり問題は起こった。

C子さんはいつも部屋を暗くして、チェット・ベイカーなんかを聴いていた。帰宅したK君に、

「何だ、電気もつけずに膝小僧なんか抱いてぇ」

などと言われると、弱々しげに笑っているような子だった。

そんなある日、K君が帰宅し電気をつけると、そこにはいつもどおりC子さんがうずくまっていた。しかし、その日C子さんは何故か茶色い紙袋を頭にかぶっていた。K君が声をかけても、C子さんは決してそれをとらない。どうしたんだとK君が尋ねると、

「あなたが電気をつけるから」

と答えた。

C子さんは強度の自閉症状があり、しかも心中マニアだった。

紙袋をかぶったC子さんに心中をせまられ、K君はもう居酒屋から女の子を連れて来るのをやめようと決心した。

あれから十二年、さみしがり屋のK君は、今もって独り身だ。

ザ・富山

「上京して十年過ぎた頃から、突然ポロッと訛が出たりするんですよね。私、セリフもなんだかなまってません？」

仕事で一緒になった女優の風吹ジュンさんにそう尋ねたら、

「そう言えば、滋ちゃんて田舎、富山なんだって!?　私も富山なのよォ。知ってたぁ？」

と言われた。

「私は八尾《やっお》で生まれて、すぐ他の県へ移ったんだけど、滋ちゃんはずーっと富山？」

「ええ、そう。ずーっと富山」

「いやー、あなたみたいな人がねぇ……。富山の人っぽくないっていうか、めずらしいよねェー、ハハハハハ」

と、風吹さん。

私から見ると、風吹さんの方こそ全く富山の人っぽくなくて、ちょっと驚きだったのだが、育ったのは別の地方だと聞き、やっぱりな、と思いなおした。

さて、この、富山の人っぽい、ぽくないとは一体何か。それは、他の県の人が各々そうであるのと同様、これは富山の人、あるいは、富山の何かと身近に関係している人にしか、わからないことだと思う。

我が故郷富山は、蜃気楼が見える海でホタルイカがとれたり、合掌造りの家でコキリコブシを唄ったり、その昔は米騒動が起こったり、駅弁のマス寿司とイカの黒造りが最高で、チューリップの球根をいっぱい輸出してるぞ……なんてえことが自慢の県です。

しかし、どちらかというと、我が富山は一般的に地味な印象の県らしく、「出身は富山です」と答えると、十人中三人ぐらいは、「ああ、あの原発がバカバカおったってる所!!」と、福井県なんかと間違えたりする。

新聞などに載っている調査では、気候、住宅事情、犯罪の少なさ、福祉の充実、食生活、教育などを総合すると、日本で一番住み良い県であるそうだ。住み良いところと言われるのは、私とて嬉しいが、いったん県外に出て、少し退《ひ》いて見ると、安定志向が強すぎ、派手なイベント、ユニークなニュースが無さすぎて、刺激に欠ける所が、この県の印象を薄くしている、ということがよくわかる（少し余談になるが、たとえば富山県には昔っからソープランドというものが一つもないし、以前、県立高校はすべて修学旅行に行かなかった。何故って、学生間でいろんな非行問題が起こると困るからだ、と聞かされて、当時、皆、頭にきたものだった。現在県立高校が修学旅行をおこなっているか否かは、私は知らない）。さて、この安定志向が強くなるというのはひとえに、地理的、気候的条件によるところが大だと私は思う。

気候は、四季のうつり変わりがとても鮮明で、そのお蔭で、作物もとても豊富だ。が、冬に限っては、とてつもない量の雪が降る。この雪、北海道のようなサラッとした粉雪と違い、水気を多く含むボタ雪だ。積もり始めると一、二メートルはかるく溜る。そのうち一階からは出入りできなくなり、二階、三階の窓から出掛けるようになる。このころはもう、町中の人は、自分の家が雪で押しつぶされぬよう、雪下《おろ》しにやっきになっている。プロの雪下しの人も町にはいるのだが、ひどい雪になると、この人たちとても、自宅の雪下しに追われて人手不足になる。ついには老人も子供も屋根にあがって皆作業する。降り続ける雪空の下、全員必死で頑張るのだが、それは実際、ザルで水をすくっているようなものなのだ。晴れ間がこないと、次第に雪を捨てた道路の方が屋根より高くなってしまう。——このようにしてやがてすべての道路は不通になって町は陸の孤島と化していく。

これだから、富山の人は、家の造作にバカ金をかけ、土蔵まで建てて、壺や瓶を買っていろんな物を貯蔵する。夏の間はせっせと働き、来たるべき冬にそなえる。

これじゃあまるで、アリとキリギリスじゃないの!!と言われてしまいそうだが、ズバリその通りという気もする。

と、いうことは、富山の人っぽくないと言われてしまう私は、キリギリス……?

いやいや、私とてまじめです。

どっちが毒!?

「タバコを吸ってる写真は御遠慮くださいまし」

取材を受けている時、うちのマネージャーは必ずそう言う。

彼女自身、タバコは吸うし、嫌いというわけでもないのだろうに、何故だろうと思っていたら、タバコははっきり有害で、そんな有害なものを美味しそうに吸っている私の写真を見て、私を好きだと思ってくれている未成年者が、マネをしてはいけない、という事であった。

ニコチンが毒だというのは多分本当であろうから、私達の間でこの事はそれ以上、問題になっていなかった。

ところが、ある日である。

JTから、新聞の「たばこと私」という欄にコメントをお願いします、と言ってきた。

似顔絵のイラスト入りで、結構よく見かける欄だ。

私は単純に、自分の似顔絵を見てみたかったので引き受けるつもりになっていたら、マネージャーの方が渋い顔をしていた。

「タバコねぇ……。出来れば御遠慮したいところだけど」

「コラムでしょ。別に問題ないんじゃない」

「でもね室井、あなたもいつか子供持ったらわかるけど、あれって子供には絶対良くないからね」

「それはわかってるけど、いい所もあるから大人は吸ってるわけでしょ。そのさぁ、いい方を考えてコメントすればいいんじゃない」

「うーん、だから今ね、タバコっていうのは自動販売機で、簡単に買えるでしょ。そうするとね、子供がね……」

「じゃあさあ、コカ・コーラはどうなの」

「え、コーラ!? コーラはいいでしょ。私、コーラって大好き」

「何でよ。あんなに体に悪いもの。タバコがダメで、コーラがいいっていう理屈は、まったくもっておかしいよ」

私は、コカ・コーラなるものが、どんなふうに人体に影響を及ぼす飲み物であるのか、特に詳しく知っているわけではなかった。が、中学の頃、「コカ・コーラ撲滅」を唱えている先生がいて、私はその先生をとても好きだったので、コカ・コーラに対しては、ちょっと胸に一物、あったのだ。

彼は政治・経済の先生で、ある授業の時、何かの社会悪という話の流れで、コカ・コーラの有害性について語りはじめた。

大昔から、ボルネオの密林地帯には、世にも奇っ怪な黄色い木がはえており、その木が酸性雨にあたると、猛毒の樹液がしみ出てきて、その樹液を採集し、さらにある化学化合物と混ぜ合わせたのが、コカ・コーラの原液だという。この原液というのが、コンクリートも鉄も瞬時に溶かしてしまうという代物で、これを何千倍に薄めた物が各国に送られて来て、それをさらに何万倍に薄くして味付けしタンサンを混ぜた物が、店頭に置かれているというのだ。

そして、コカ・コーラは中毒性があり、それゆえ、この原液の作り方を知っている、世界でたった三人の科学者達は、いまもどこかに幽閉されているということだった。

先生は、過去に三回だけコカ・コーラを飲んでしまったというのを、この話のポイントにおいていて、一度目は、コカ・コーラが新発売になった時に何だろうという興味から、二度目は、コカ・コーラは怪しい飲み物だと思い、工場見学に参加した折、工場でお昼に無理やり飲まされて、そして三度目は、その中毒性が体に出てしまってついつい、ということであった。

先生はさらに、柿を齧《かじ》って欠けてしまった自分自身の前歯に、数年にわたりコカ・コーラを振り掛けて、本当に溶けるかどうかという実験をしてみたところ、ついに歯は溶け、今はすっかりボロボロだということを、授業の最後にしんみり言った。

中学生の私達には、何よりもこの実験というのにリアリティがあり、皆慄然となった。そして先生の前歯の空洞が、柿にやられたのではなく、あたかもコカ・コーラでやられたように、私の中に印象として今も残ってしまったという訳である。

「じゃあ何、もし、万一、私にコカ・コーラのCMなんか来ちゃった時には、やっぱりやるわけ」

「勿論、やるやる」

「じゃあ、ジェームズ・コバーンみたいなカッコイイ、タバコのCMは？」

「うーん、うーん、うーん、……子供がまねするからねぇ……」

「私ん家、昔、タバコ屋さんやってたけど、私、子供の時は吸わなかったよ。それにだいたい、子供、子供って言うけどさあ、コーラの方が甘くて飲みやすいから、子供飲んじゃうのよ。よっぽど悪いでしょうが」

「……もういい。わかった。タバコのコメントやろう。タバコ持ってない似顔絵にしてもらって。そのかわり、万一コーラのCMがきても、絶対ことわんないからね。だって私、コーラ好きだもん」

〈コメント〉

役者の仕事って、身一つで飛び込んでいくようなところがあるでしょ。そんな時そばにタバコがあると気分が楽。タバコは大人にしか持てない御守りだと思うの。だから親に守られている間は必要ないんじゃない？

室井滋（女優）

タバコは大人になってから。JT

女の身だしなみ

夕暮れ時のデパートをブラブラ歩いて、いつも感心することが一つある。

女性の店員さんのお化粧のすばらしさだ。朝、出社した時から、もう随分時間も経ってたくさん働いたにちがいないのに、髪はセット直後のように、まだクルンクルンしてるし、口紅もきっちりひけていて、化粧くずれ、化粧むらというものが、どこにも見られないのだ。

しかも、それは、その日だけというのではなく、エップリデイそうなのだから、同じ女として、本当に頭の下がる思いがする。

私なぞ、それに比べてダメな女だ。

ダメなのは、はなっからわかっていたので、一度たりとも、ＯＬ志願はしなかったものの美しいＯＬの皆さんの姿を目にすると、あらためて「良かった。お勤めの道を選ばなくて……ホッ」と、いう気持ちになってしまうのだから、今さらながら情け無い。

女優の仕事の方こそ、メイクしたり、色々飾ったりは、切っても切れぬものだろうに、と思われがちだが、いや、確かにそうなのだが、私達がメイクするのは、もともと仕事の時間に組み込まれているから、もうそれは、身だしなみとか、そういう問題ではなくて、お仕事なのだ。

たとえば、朝の九時入り渋スタ、と言われたら「九時に渋谷スタジオに入ってメイクを開始してください。本番は十時からですよ」と、いうことなのだ。しかも九時には、メイクさんがスタンバイしててくれて、髪の毛クルンクルンは、自分じゃなくて、メイクさんのお仕事なのだ。

よって、私は、朝起きて、軽く食事して、ザバザバッとシャワーを浴びて、そのままノーメイクでフロ上がりの半乾きの髪のまま、電車に乗ってしまう訳なのだ。

朝八時、駅のプラットホーム、電車待ちの女の人々の顔を見るに、私と同じ状態の人はまず一人もいない。

別にいばって言うんじゃないけれど、本当にみごとに誰もいないのだ。今時、遅刻すれすれの中学生だってリップぐらいぬっているのだ。

私は、まだ半分ぬれたボサボサの頭を少し恥じて、下を向き、白い目で私を見る人達と、絶対に目が合わぬようにして、満員電車を待つのだ。

満員電車に乗ってさえしまえば、あとはこっちのもんだ。

ギューギューすしづめで他人の顔や頭なんて誰も凝視できなくなるし、するゆとりなんて全くなくなる。

そしてやがて、駅に着く頃には、髪ももう乾いて、それほど変じゃなくなっているのだ。さらに、これが日曜の早朝ともなると、もっと楽《らく》になる（女優の仕事は、日曜祝日に関係なし）。

日曜は電車がすしづめじゃあないから、頭のズブズブも目だつだろうと思われがちだが、これが、なかなかの盲点なのだ。

日曜の早朝には、何とお仲間さんがいるのだ。勿論、そんな髪の毛ぬらした女優の友人が、他にもいるんじゃあない。

お仲間というのは、土曜の晩、ちょっと遊んでしまい、何処かへ泊まり、早朝に自宅へ帰ろうと電車に乗っている女の人のことだ。

こういう人が、ひと車両、かならず一人はいる。

髪は、シャワー浴びたてでブローなどしてないので、バサバサ、服も夕べのままなので、ヨレヨレ、顔だって、もう一度、家に帰ってから再び寝る予定にしているので、当然スッピン。おまけに、その目は、別れたばっかりの彼？のことを思っているのか、心ここにあらずで、焦点があっていない。

私の場合、心は電車の中にあるので、ちゃんと目は、すっかりそこに座っていて、何と彼女よりしっかり者に見えてしまっているかもしれないのだ。

私が、朝こんな風に「勝った!!」と思えるのは、唯一、この日曜の早朝だけなのだ。

同じ日曜でも、あと一、二時間遅いのになると朝帰りの女の人はいなくなり、逆に、デートに行く為、化粧バチバチの女の人たちにかこまれるため、ひどくみじめな気持ちになってしまうのだ。

同じ日曜だというのに、これは天国と地獄ぐらい差がはげしいので、この日に限って、私は時間に厳しくなる。

時間に厳しくなれるなら、あと三十分早く起きて、髪の毛ぐらい乾かしてから出掛けりゃーいいじゃあーと、普通誰だってそう思うのだろうけど、まあ、言ってしまえば確かに、それだけのことなのだけれど、この朝の三十分、これが何とも眠い私には、大切で大切で、何ものにもゆずれないのだ。

以前、大崎の方のロケ現場に朝の五時集合というのがあり、当然まだ電車もなく、道でタクシーを待っていた。

が、しかし、それも丁度、夜勤と昼出の運転手さんの交替の時間にぶつかったようで、大通りなのに、一台も通らない。

時間を気にして少しオロオロし、車道に乗り出している私に、スーパーに荷物を置きに来たトラックの運ちゃんが声をかけてくれ、乗っけてもらったことがあった。

「ラッキー！」

と、喜んでいるのもつかの間、運ちゃんは、私を乗せると、いきなりトラックの両窓を全開にしてこう言った。

「あんたねえ、自分は彼氏といちゃついて、楽しかったろうけど、娘にそんなズブヌレ頭で朝帰りされる親の気持ちにもなってみなー。どうせなら、せめて髪ぐらい乾かしてから帰ってやれ。ほら、窓の外に頭出して！」

まだ人気《ひとけ》も車っけもない都内の道を、時速百キロ以上の超スピードでトラックは走り出した。

スピードがつくる、その風の中、私の髪はピュンピュン揺れ、あっという間に乾いてしまった。

洗い髪にやさしいのは、やっぱ日曜の早朝の電車にかぎると、またしてもしみじみ考えさせられたのだった。

趣味

私は大のタクシー好きです。

お金が無く、仕方なしに駅を目指してトボトボ歩いている時でも、目の端でタクシーを発見してしまうや否や、ついつい路上にかけ出し、映画『グロリア』のG・ローランズ張りに、高々と右手をあげ「よっ、タクシー！」と、叫んでしまっているのです。

これでは日々のタクシー料金だけでも馬鹿にならないので、エイヤー！と免許を取って、車も買ってみたのですが、何故か一向にタクシーに乗る機会は減りません。あの赤い空車ランプを見てしまうと「もったいない！」という気持ちが働き、どうしても遣《や》り過ごすことが出来ず、反射的に手が行ってしまうんですねぇ。「何がもったいないだ!?」と、自分でもすぐに我に返るのですが、日頃の癖というもの、そう簡単には治らないもののようです。

まあ、しかし、こんなに回数をこなしていると、なかなか面白いキャラクターの運転手さんに出くわしてしまうことも多くて、それがまた、タクシーをやめられない理由の一つでもある訳です。

これは、三年前の秋、私が池袋の東口に向けて個人タクシーに乗ったときのこと。とてもきりっとした感じの、五十過ぎぐらいの運転手のおじさんが、目白通りにさしかかったあたりで、

「お客さん、この辺って、目白のお不動さんがある所ですよねぇ」

と、話しかけてきました。私は何のことかとただ軽く、「はあ」と受け流していると、

「目白不動、目黒不動、赤不動、青不動……いやいや、なつかしい。お不動様もよく撮ったなぁ」

と、なにやらしみじみしながら、

「私ねぇ、写真好きで、『毎日グラフ』なんかにも載ったこと、あるんですよ。ハハハ」

と、嬉しそうに写真の話を始めました。

「私は、何か一つのものに興味を持つと、それに集中的に目が行ってしまうんです。お不動様を撮りたいと思うとするでしょう、すると寝てもさめてもお不動様だ。自分で、

もう良し！　と思えるまで撮らないと気が済まないんですよ。そう、お不動の次は伊豆だったなァー……」

「伊豆!?　ですか」と、私。

「そう、伊豆半島です。伊豆の地図を持って自分で歩いて、しらみつぶしに撮った場所を、少しずつ赤エンピツでぬりつぶしてゆくんです。伊豆半島全土が真っ赤になるのに一年半かかったけど、それでも赤く埋った地図を見て、自分はついに伊豆を制覇したんだと、胸が一杯になったもんですよ。ハハハ、お客さん、伊豆のことなら何でも聞いてください、ハハハハハ。そしてその次は……そうだ手、でしたねぇ」

「手って、人の、……この手ですか？」と私。

「そう、人間の手というものは実に面白い。体のどの部分より動きがあって、表情豊かです。さらに、その表情を生かしてくれるバックの風景とのコンビネーションが、また見ものです。不思議とその手にピタッとくる場所、手がことさら美しく見える場所というものがあるものなんです。

私は、素晴らしい手に出会うと、夢中でシャッターを押し続けてきました。手は正直ですからねぇ、じーっと見つめていると、その『人となり』までわかってくるんですよ。

本当に手は長い間撮り続けても、ちっともあきなかったなぁ。

いやいや長いといえばお客さん、実は私にはもっと長く撮り続けたものがあるんです。へへへ、何だと思います。それは、私の娘ですよ。娘が生まれたその日から、私は毎日一枚、必ず娘を撮り続けてきました。同じ場所に坐らせて。一年三百六十五日、一日もかかさずに。お陰様で娘はとても素直ないい子に育ってくれて、写真を撮るのも一度も嫌がったことはありませんでした。

ところがです。娘が十八になる誕生日に、お父さん、私を撮るのは今日を最後にして欲しい、って言われたんです。その時の私のショックと言ったら……」

急に言葉を詰まらせた運転手さんに、私は、

「まあまあ、お嬢さんもあと少し、お嫁に行くまで親孝行なされば良かったのにねぇ」

と、せめてもの慰めを言って、車を降りようとしました。すると、その時ふり返った運転手さんは、目をうるませて私にこう言いました。

「お客さん、やっぱり娘も年頃、好きな男もいるみたいだし、いくら父親とはいっても、毎日毎日裸になり続けるっていうのは、嫌なものだったんでしょうかねぇ。お客さんが娘だったら、どうしますか、やっぱり裸は嫌!?」

占い嫌い

小学校三年の夏、私は親類の家族の夏休み旅行に、一緒にくっついて行った。

旅行の内容は車二台で地元富山を出発し、岐阜の下呂《げろ》温泉を抜けて、名古屋に出、金のシャチホコを見、大阪を通って奈良の東大寺を目指し、ここでUターンして京都にもどり、金沢を通って帰って来るというコースだった。

途中温泉に泊ったり、テントでキャンプしたり、ゴージャスなホテルのプールで泳いだりいろいろで、とても楽しい旅をしていたのだが、丁度、折り返し地点の東大寺の大仏様の前で、突然その旅行にケチがついてしまった。——と、少なくとも大人達は思った。

大仏様を拝んだ後、全員でおみくじを引くことになり、私も、皆にしたがって一本引いた。

いとこ達のおみくじには、各々〝小吉〟とか〝大吉〟とか書いてあり、その字を〝キチ〟と読むことも小学校三年の私にはもうできたが、自分のおみくじに書かれていた〝凶〟という字が読めなくて、おばさんに、

「これ何て読むが？」

と尋ねた。

すると、おばさんは、みるみる真っ青になって、おじさん達に何やらささやきはじめた。

十分程、大人達は密談をしたあげく、意を決したように、私の手をつかむと、寺の奥の方へ引っぱって行った。

それから約一時間。

私はひんやりした御堂の中、派手な袈裟《けさ》を着たお坊さんの前で長い長いお経を聞かされ、お祓《はら》いを受けた。

〝凶〟という文字が一体何を意味しているのか、それでも私はわからなかったので、大人達に尋ねたが、皆、堅く口を閉《とざ》して誰も答えてくれなかった。

一方、残りの旅行だが、この一件を境にして、たいそうつまらぬものになってしまっ

た。

車はやけに安全運転だし、ちょっとでもハメをはずす行動に出ると、大人達は人が違ったように子供達を叱りつけた。

さて、私がこの文字の持つ意味を知ったのは、それから数年後で、その時にやっと、初めてあの時の大人達の心配振りを理解することができた。

しかしながら、おみくじなんて引けば、当然よくないのも幾つか入っている訳だから、突然〝凶〟にぶちあたることぐらいあるだろうに……せっかくの旅行に何故、わざわざ不安材料を作るのだろう。

これと似た例で、日本人はお正月の初詣でおみくじを引く人が多いが、あれも、正月早々、〝大吉〟と出りゃあとても幸先《さいさき》良い年明けになるだろうけど、まかりまちがってお先真っ暗のを引いた日にゃ、さんざんな気分だろうと思う。もっとも、まったくそんな事が気にならない太っぱらの人には関係ない話だが……。

まあ、そんなこんなで、私は占いというものが、昔からあまり好きじゃない。

あまりというより、最近じゃあ、大嫌いだというのが正直なところだ。元々、私は、すこぶる気が小さくて、人一倍暗示にかかりやすい。良い事が書いてあればいいけど、悪い運気を知らされた時には気になって気になって……。しまいには気にするあまり、何故かその通りに行動してしまうという典型的なタイプなのだ。

所詮、占いなんて、誰にでもあてはまるぐらいの普遍的でなおかつ抽象的なことが書いてある。

極端な事を言ってしまえば、雑誌に載っている生まれ月別の占いなんて、どの月のものも、皆十分、あてはまりがちなことが書かれているということだ。

だから、たとえ占いが当たったとしても、それはさして大したことではないのだと思う。

しかし、それだというのに、ひどい占いを読んでしまうと、やっぱり私はどんどん、どんどん自己暗示という壺にはまってしまうのだ。

ある時など、「天秤座の来年のあなたは八方塞り。何事にも辛抱してジッと時が過ぎるのを待ちましょう」なんて書いた一冊のまずい占いを打ち消すために、他の女性雑誌を買いあさって、決して読むまいと思っていた全ての新年の占いを読破してしまう羽目になったことがある。

そして、読破しきったその結果思ったのが、

「どの占いも言ってることが全部違うじゃないか。一体どれが……えぇい、信じるかー、こんないいかげんなもの!!」

だったというわけだ。

今では、占いというものが、自分の目に入らぬように、雑誌のページをすっ飛ばして読むし、喫茶店の占い灰皿も、別のテーブルに無言でソクずらしてから座るようにしている。

自己暗示で自分の生活のペースを乱してしまうのを必死で防御しているのだ。

なのに……なのに、最近のこの占いブームは何なんだ!!

尋ねもしないのに四柱推命をやっている友人から、

「今月のあんたはもうまっ黒黒。事故運も盗難運もあるからね」

なんて留守電に地獄のメッセージをもらったりする。

新聞の占いや、雑誌の占いの「今月生まれの芸能人」なんて欄に私の顔写真がバッチリのって、例題のごとく占いまでこまごまとやってくれている。おまけに頼みもしないのに、その記事は私の所に送られてきて、結果、きっちり自分のひどい運気を知るはめになってしまう。

昔、〝不幸の手紙〟というものが、一時はやったけれど、私にとって占いとは、あれ以上に不愉快で迷惑なものなのだ。

「女優」の名前で出ています

好きでこの道を選んだので、細かいことであまり文句を言う気はないのだが、日々、何かと困ることが一つある。

それは「女優」という名の看板のことだ。「女優業」に限らず、「自由業」と名の付く仕事をされている人なら、私と似た経験が大なり小なりあるだろうと思うのが、こんなことだ。

たとえば、普通の会社に勤める友人に電話をかけたとする。

「はい、△△工業株式会社・営業部です」

電話番の女の人が出る。

「恐れ入りますが、広田さんをお願いします」

と、私。

「えーとー、お宅様は？」

「あっ、私、室井と申します」

「はあ。えーとー、失礼ですが、どちらの室井様でしょう」

問題はここだ。必ずと言っていいくらい、会社という所に電話をすると、皆に「どちらの」と、聞かれてしまう。私にどちらのと言われても、言いようがないので、「ただの室井です」とひどくストレートな答え方しか当然できないで、そう答える。

ところが、相手がことのほかボーッとしたＯＬの人だったりした場合、こんな時、

「あっ、タダノ・室井さんですね」

などと、予想だにしなかった言葉が返ってきたりして、そんな時は私としても、つまらないことながら、こだわらずにはいられなくなってしまう。

彼女の発音の具合からして、「タダノ・室井」というのは、おそらく「キューティー・鈴木」とか「ラッキィ・池田」とか「ロミ・山田」のノリで言っているのであろうと判断して、私の方は、「いえいえ、室井滋です」とフルネームを言い直す。すると今度は、何を勘違いしたか、「いいえ、あなた様御自身のお名前を」なんて言い出してくる。

「だからね、私の名前が室井滋なんです」

「えっ!?　あっ、女の方なのに？　ヒャー……スミマセン、御主人のお名前おっしゃったのかと……で、どちらの室井さんでしたっけ」

もうここまでくると、梃子《てこ》でも、どっかの室井でないと取りつがない気だと、私の方も察知し、仕方なく自分の所属事務所名を言った。

「あ、はいはいホットロードの室井様ですね。わかりました。では少々お待ちくださ い」

何だ、最初っからこう言えば良かったんだ。よし、次からは、ホットロードの室井に限るぞ、なんて思いながら、私は友人が出てくるのを待っていた。が、

「すみません。ホットロードとは、どちらのホットロードさんでしょうか」

と、再び聞き返されてしまった。ホットロードなどと私の友人には聞きなれぬ御頭《おかしら》がついたので、かえってわかりにくくなってしまったにちがいない。

これには、さすがに私も嫌になって、

「もう、結構です」と電話を切ってしまった。

さて、では一体、私は何と言えば良かったのか。大学や高校の友人ではないので、学

生時代の友人とも言えないし、恋人でもないので、大きく、身内っぽい態度に出るのも変だし、まあ「時々新宿三丁目で一緒に酒飲んでる室井です」が一番正しい言い方なのだが、これでは、はなっから遊びの電話だと軽く見られてしまうだろうし……やっぱり、「女優の室井です」が最も確実に本人に伝わる言い方だったのかもしれなかった。

しかし、私はどうも、この言い方に抵抗がある。普通の人がイメージする「女優」というものとは、かなりかけ離れた所に自分がいることを、私自身が一番よく知っているので、どうもこの「女優」という言葉にふれた時、ある種私はオドオドしてしまうのだ。それというのも、この「女優」という特殊な言葉を私の口から聞いた時の世間の人の反応を私本人が色々と経験し、知っているからなのである。

先日も歯医者に行ってこんなことがあった。

受け付けで、職業欄を空白にして、住所、氏名、生年月日のみを記入したら、「主婦の方？」とお医者さんに質問された。主婦の方ではないので、「いいえ」と答えると、ではお勤めですかと聞かれて「はい」と仕方なく答えた。先生は、私の虫歯を見ながら、さらに何処にお勤めと聞いてきたので、私は「あ〜」の口のまま、

「株式会社、ホットロードです」

と答えた。当然先生は、それは何の会社かと尋ねたので、私はまたまた「あ〜」の口で、

「タレントプロダクション」と答えた。

「ああ、あなたマネージャーさんなの」

と、今度は言われたので、

「ひひへェーアー」と、答えると、

「じゃあ、何やってんの」

と、聞き返されて「女優です」と、答えたら、お医者さんの手がピタリと止まって、

「ちょっと口閉じて起きてみて！」

と言われてしまった。

口をゆすぎ、ノロノロ座り直した私の顔をまじまじと見て先生は、

「あっ、見たことある、見たことある。あなた、夜中のテレビでふざけてた人でしょう。何だ女優さんかー、じゃあ、奥歯のつめ物、銀歯はやめて白いのにしよう。女優さんなら歯はくれぐれも大事にしないと、今のままじゃあいけませんよ。キスシーンなんか、その内、あることだって、なきにしもあらずでしょ。よし今日は徹底的に歯のみがき方

を勉強して行きなさい」

私はバトラーの211番の歯ブラシを与えられ、口の中にまっ赤な試験薬をぬられて、それから約一時間、小学生のようにしかられながら歯みがきをさせられたのだった。先生の親切はとてもありがたかったが、どうにもなさけない一時間だった。

さて、こんなことが多々あるので、職業を聞かれて依然ドギマギする私のクセは、やっぱり当分直らないのであろう。

乗り遅れた夜

この夏のお盆、私はフジTVの『やっぱり猫が好き』のビデオバージョン撮りの為、京都の太秦《うずまさ》にある松竹京都撮影所へ行くことになっていた。

本番は昼の二時頃からの予定だったので、当日京都入りで十分だったのだが、折角だから何処かで、ゆっくり旨《うま》い朝メシでも食べたいものだと思い、前日の最終の新幹線のチケットをとってもらっていた。

さて当日。しばし部屋も空ける故、軽く掃除なぞして、観葉植物にたっぷりの水なんかもあげて、結構なゆとりを持って家を出た。

新宿駅から約三十分。東京駅まで、私は悠々間に合うはずだった。

車中、京都に行ったら、まずうどんを食べてゴマ豆腐も食べて、暑いけど、水炊きもいい。そうだ、その後、白玉宇治金時食べちゃえ――なんて朝メシの範疇を軽く越えて、私はただひたすら食べ物のことだけ考えて電車に揺られていた。今にして思えば、このただひたすらというのがまずかった。

私は気が付くと、スーツケースをダラリと下げ、新幹線は新幹線でも、上越新幹線の改札の前に立っていた。

いくらキョロキョロしても、京都とか広島とか、博多なんていう文字は何処にもない。そうだ、ここは上野駅じゃあないか！

「私ともあろうものが一体何で」から「いつも食べ物のことしか頭にないから、そらみたことか」まで、自意識に対するプライドが一気に上下し、私はその場にしゃがみ込みそうになった。が、いやまだ間に合うかもしれない、と思い直し、私は一目散にそれから東京駅に向かった。

二十一時〇二分。改札前、必死のダッシュのかいもなく、私はしっかり二十一時〇〇分の新幹線に乗り遅れてしまった。

東海道新幹線の改札の前、再びボーゼンと立ちつくす私を、駅員がジーッと見ている。

「……あのー、今の二十一時ジャストのひかり号もう行っちゃいましたよねぇ……」

「ええ、もう出ましたよ」

何故かこんな時、もう自分でもわかりきっていることなのに、誰かに何度も聞かないと気が済まない。

「ハハハハ。あとちょっとだったのに」

「本当に。残念でしたね、可哀相に」

——oh！　なかなかやさしい駅員じゃないか——私は思わず、たった今の自分の失態を、この駅員のあんちゃんに全部暴露して、今から自分がどうしたらいいのか、お縋《すが》りしたい気分になっていた。

「私ね、今晩中に京都にどうしても行きたいんだけど、もう無理かしら」

「京都はね。名古屋だったらまだ大丈夫」

「え!?　名古屋まで行けるの。じゃあ、そこから乗り継いで京都へ行ける？」

「ええ、行けますけど、夜行ですね。着くの明日の朝です」

「明日の朝かあ……。ねえ、タクシーだと、いくらぐらいかなー」

「名古屋から京都まで……だいたい一五〇km位ですね」

「料金は？」

「さあ」

「ええ！　料金わかんないの」

「ええ。ＪＲですから……僕は」

「東京から成田行くのと、どっちが遠い？」

「勿論、名古屋〜京都間の方が三倍ぐらい遠いですよ」

「じゃあ、六万位かあ……ねえ、六万位よね」

「さあ、僕、東京〜成田間のを知らないから」

「だからさあ、六万位な訳よ」

「はあ、そうですか」

「ねえねえ、これってさあ、明日の朝一《あさいち》だと何時？」

「六時ちょうどです。始発は」

「それに乗るとしたらさあ、この切符、もうハサミ入っちゃったから、使えないわね？」

「どうせ経費で落ちるんでしょ」

「へ!?」

「六万かかんないから、どうせ経費で落ちるんなら買いなおしてくださいよ」

乗り遅れ傷ついた我が心を、この駅員に癒《いや》してもらっているつもりに、すっかりなっていた私は、思わずびっくりして口がアングリになってしまった。そして、そんな私に追い打ちをかけるように、さらに駅員はこう言った。

「京都へはウズマサに行くんでしょ」

「ゲッ!!」

——誰だ、こいつ。太秦なんて……何を言うんだ——(太秦というのは、時代劇なんかをよく撮る撮影所が古くからある所なんだが、業界人は「京都撮影所へ行く」という言い方を、「太秦へ行く」という風に通常言うのだ)

私はアングリの口が、今度はふさがらなくなりそうだったが、自分の所持金を考えると明日の一番もあやうくなりそうだったので、そこは深く追及せず、

「え、えーとー、プ、プライベートなのよ。お寺見に……私、時代劇嫌いだから太秦には行かない」

なんて、ごまかしてしまった。

「へえ、時代劇嫌いなんですか。じゃあいいや」

駅員は意味不明のことを言いながら、私の切符に明日も使える印のハンコを、かろう

じて押してくれたのだった。

今にして思えば、お盆の墓参りというのがどうも私の頭にあって、ついつい田舎の富山の実家の方に足が向き、上野駅に行ったのだと思うが、いずれにせよ、この晩は、富山にも京都にも行けず、まったくもって「虻蜂《あぶはち》取らず」になってしまった。おまけに妙な駅員にも出くわしてしまって……。それにしてもああいう場合、ＪＲには規則というものがないのだろうか。今度、電車賃がたっぷりある時に、再び質問してみようと思う。

ロック・ロック・ロック??

東京で暮らすようになって、もうずいぶんになる。女優という職業にもつき、ちっとはアカヌケたかと思いきや、外見は、ほぼ田舎から出て来た時と変わらない。田舎の私の同級生たちもそれに関しては、皆、口をそろえて、

「シゲちゃん、なーん、どっこも変わらんちゃ。もっとちゃんとせんと、ダラみたいちゃ（ダラ⇩バカ）」

と、言っている。

しかしまあ、今のままで私は一番楽なので、無理にアカヌケタイとは思わない。

さて、このように、私の外見は約十年このかた何も変わっていないのだが、生活習慣の中で、たった一つだけ昔と激しく変わったことがある。

それは、戸締りをやけに厳重にするようになってしまったということだ。

外出する時は、勿論窓もきちっと鍵を掛け、カーテンも引き、表のドアなどはロックした上でさらにちゃんと掛かったかどうか、ガチャガチャ引っぱって確認までしてしまう。

そして、外から帰ったら帰ったで、鍵を開け中に入り、そのますぐにまた、ドアを中からロックし、かならず二重にチェーンなども掛けてしまうのだ。

田舎での私の生活の中に、このいちいち鍵を掛けるという習慣は、まったくもって無かったことなのだ。

子供の頃は、家がお店屋さんだったこともあり、鍵どころかガラス戸も引かず、表はいつも開けっぱなしであった。一年のうち戸を閉めるのはせいぜい台風の時か、大雪の冬の間だけぐらいのものだった。夜、眠る時は、表の戸はさすがに閉めてはいたが、鍵までいちいち掛けていたかどうかは、あまり記憶にない。覚えているのは、私の田舎の町では、たとえ留守であっても、昼間はどこも、玄関が開《あ》いていたということばかりなのだ。

さて、それでは、こんな環境で育った私が何故こんなに几帳面になってしまったのか。これにはいささか理由がある。

上京して数年間は、私もけっこう呑気《のんき》にしていて、ドアのロックに対しても、ちっとも神経質ではなかった。外出する時、たまにはちゃんとすることもあったと思うが、部屋の中に自分がいて鍵を掛けるというのは全くなかったし、そういう感覚自体、あまり理解できない方だった。

そんなある日、こんな事件が起きたのだ。

大学の友人のT君のアパートに泥棒が入った。T君のアパートは私のアパートのすぐ近くで共に大学のそばにあった。その日、授業をさぼって、部屋でゴロゴロしていたT君は、突然大学の生協の本屋にサルトルの『嘔吐』を買いに出かけた。『嘔吐』を買ったら、まっすぐ部屋に戻って、またゴロゴロ本を読むつもりだったらしく、彼のその時の格好は、トレパンにランニング、デニムのサンダル、ボサボサの髪だったわけで、もちろん、部屋の鍵なんか、掛けて出て来るはずもなかった。

だが、あいにく『嘔吐』は生協にはなく、仕方なくT君は高田馬場の芳林堂までトボトボ歩いたという。が、不幸にも、芳林堂にも『嘔吐』はなく、T君は山手線に乗ってそのまま新宿の紀伊國屋へと足をのばしてしまった。

夕暮れ近く、アパートに帰ったT君が、自分の部屋の戸を開けて、まず思ったのは、

「あれ、間違えたかな!?」だったそうだ。

彼がそう思ったのも無理はなく、部屋の中はもぬけのからで、家財道具は全部なくなっていたそうなのだ。パンツ一枚、茶碗一個までも消えてなくなってしまった六畳間の中で、何故かガスコンロの火だけがボウボウと燃えさかっていて、壁にはマジックで「死ね!」と書いてあったそうだ。

「本当に俺、嘔吐しそうになっちゃったよ」と、彼はりっぱなシャレをのたまっていたけれど、さすがにこの事件は、私達仲間に大きな波紋を投げかけた。

東京はごっつい恐い所だ。あんなひどい目にあったのに、届けてもニュースにもならない。誰も助けてくれないんだから、仕方ない、せめて鍵ぐらいはちゃんと掛けなくっちゃ。

まあ、こんな風な教訓が、それからずっと、私に戸締りさせているというわけなのだ。

本当のところ、昔みたいに、用心なんて気にせず、鍵なんて持たない生活をしたいと時々思うのだけれど、私自身、東京という町をちっとも信じていないから、淋しいけど仕方ないと今は思っている。

さてさて、ところがだ。この鍵がいつも閉まっているということで、逆に困ることが時々起こる。

その最《さい》たるものは、自分が留守の時に郵便の届け物があった時だ。

民間企業の宅配便というのは少しは融通がきくのだけど、郵便局となるとてんで話にならない。

前にこんなことがあった。

北海道の知人より送り物があったらしく、不在通知が入っていた。さっそく郵便局に電話をし、持ってきてもらう時間の相談をしてみると、まったく時間の約束ができない。

「すみませんが、普通の会社勤めじゃないんで、仕方ないんですよ。私の方はかまわないですから、ドアのノブに印鑑ぶらさげときますから、それ押して、玄関のドアの前に荷物置いといてくださいな」

「いえ、規則ですから、それはできません」

「じゃあ、期日内に受けとる時間がなくて受けとれない場合、どうなるんですか」

「送り主に荷物をお返しするだけですよ」

「返すなんて、そんな失礼な。そんなこと困りますよ。あのー、もし荷物なくなっちゃっても郵便局のせいにしたりしないから、ドアの前に置いといてくださいな。あっ、ド

ア の前が嫌なら、私鍵かけずに外出しますから、家の中に入ってくださっても……。家の中ならちゃんと受け取ったことになるんじゃあ……」

「とんでもない。規則ですし、そんなぶっそうなこと。私どもはいたしません（ガチャリ）」

なんとも不便で悲しい東京だ、と思うのだ。

ゴミ

仕事柄、私はよく地方へロケーションに行く。

三、四泊以上のロケになる時は、留守中何が起こってもいいように、とりあえず部屋は整理してから出掛ける。

長期ロケで、まして危険な所へ行く場合、または、頻繁に飛行機事故が起こっている時など、私は勝手に神経質になり、やたらドキドキなんてしたりして、「やっぱしー、万一の時、誰が部屋に入っても恥ずかしくないようにしておかなきゃ、いけないんじゃあ?」などと思い、部屋の掃除になおいっそう力をこめる。

「滋君、遠くに旅立つ時はねぇ、九割方片づけて、何でもいいから一割、片づかない事、あるいは物を残しておくべきだってよ!」

と、人からも言われたりするが、どうにも気になってダメだ。

「私にもしもの事が発生した場合、アイワのコンポは田中君へ、ワニのバッグはカヨちゃんへ、レーザーディスクは横山さん御一家へ……ほんの気持ちです。いろいろお世話になりました。お元気でね」

実はこんなメモまで残したこともある。

友人たちにロケ前の片づけグセの話をすると、

「あんた、よっぽど、人に見せらんない物、隠し持ってんでしょう、じゃなきゃ、ちょっと異常よ」

と、皆から隠し持っている物を出してみろと言われる。

が、残念なことに、そんなすごいシロモノは私の部屋には何もない。あるのはガラクタばかりでー。いや逆に、ガラクタばかりだから、日頃の「スッキリさせたい!!」という気分が、出発前に一気にあふれ出て片づけ魔になってしまうのかもしれなかった。

まあ、そんな訳で、私は地方ロケの前にはゴミを、生ゴミと分別ゴミに、ヘアピンの一本までもしっかり区別して、翌朝ゴミを出す準備を前の晩にせっせとする。

目一杯、気を張って、ここまでは本当に頑張る。

ただ、ちょっとまずいのが、時々、寝坊してしまって、翌朝あわて勇んで飛び出してしまうことがあることだ。当然、そんな時には、せっかくまとめたゴミの事など、頭の中からすっかりとんでしまっている。

残ったゴミはベランダに二週間置きっぱなし……最悪なのは、カラスの目にゴミ袋がとまった時、——もうグチャグチャ……これじゃあ、せっかく片づけた甲斐が全くないというものだ。

で、少々無理をしてもゴミの始末をつけて行くのだが……。が、しかし、これはこれで、無理しすぎると、時々とんでもない目にあう。

新宿駅西口スバルビル前、五時出発という集合のロケの日のことだ。

私は例によって、前日の夜、部屋を片づけゴミを集めた。朝、バタバタしたくなかったので、そのまま夜十二時頃に、ゴミ置場である電柱の前にゴミを捨てた。そして翌朝ロケに出掛けたのだ。

さて、それから一週間後。

帰宅すると、管理人さんがやって来て、

「室井さん、先週の水曜の夜、ゴミ捨てたでしょう?」

と言った。

「ゴミ!?　水曜?　さて、どうだっけなー」

と、私。

「角の印刷屋の前の電柱の所だよ」

「うーん、捨てたかも……うーんと……」

「困るなー、その印刷屋のおやじが、生ゴミ持って、次の日怒鳴り込んで来たよ。自分ちの家の前がゴミくさくなるから、ちゃんと朝、収集の車が来る頃出してくれって」

「あー、す、すみません。でも夜中の十二時に捨てるのも、朝の四時頃に捨てるのも、あんまり変わらないって思ったから……。

あっ、でも、どうして私のゴミだって印刷屋さんにわかったのかしら!?」

「そりゃあ、開いて調べたんじゃあないのかねえ。だって、生ゴミなのに缶ビールが一本まじってるっていって、それも怒ってたから……。まあ、ゴミは次の回に私が捨てといたけど、これからは気を付けてくださいよ」(バタン)………。

真っ赤だ。……真っ赤!!　顔も体も心の中も。分別ゴミの方ならまだしも、人の生ゴミを見るなんて、絶対許せない。

だいたい一人で住んでて、ゴミの車の時間に合わせて捨てるなんてできっこない。第

一、仕事にならないじゃあないか。

すぐに印刷屋にかけ込んで、そう怒鳴ってやろうと思ったが、生ゴミを見られてしまった私は、ただただ恥ずかしくて、その後、印刷屋の家の前をさけてすら通るようになってしまった。おまけにゴミも別地域に……（勿論、ゴミの中身は、二度と住所などわからぬようにこまかく切りきざんで）。

それにしても、外で自分の身に何かあった時、自分の部屋の中を誰に見られてもいいよう、「恥」をかかぬための備えはあれ程しておいたのに、まさか、部屋の中に入らずしてこんなふうにかく「恥」があったとは思ってもみなかった。

私は魔女

普段スキがありすぎて、少しボーッとしている私は、割と人からなめて見られる傾向がある。

ところが、私の友人のA子は皆と少し違う。なんと、彼女は私の事を「魔女」だと思っているのだ。

最初は、ただふざけて、あるいは、マージャンに負けてくやしがって、そう言っているのだろうと、私は思っていたが、どうも少し違う。意外にマジに、そう思い込んでいるみたいなのだ。

なんだか、ちょっと面白いので、私は彼女に何故そう思うのかを、尋ねてみた。

「だってぇ、ほらー、シゲルってさあ、私ん家でマージャンやってる最中にかかってくる電話、誰からか、あてちゃったりするじゃない」

「そんなの時々じゃない。そのくらい、皆、カンであてたりするもんよ」

「そうじゃなくて、アンタのは特別よー。アンタがひどく怒ったり、うらんじゃったりすると、相手の人、具合が悪くなっちゃったり、ケガしたりするじゃないの」

「ちょっとー、やめてよ。あんまりバカ言わないでよ、人ぎきわるい……」

「ホント、ホントよ。この間だって、『P子のバカヤロー、バナナでもふんづけてころんじゃえー』ってマージャンやりながら叫んでたでしょ。ねえ、よく聞いてよ、いい？……P子ね、あんたが丁度、ここで叫んでたあの時間ぐらいから、急にお腹が痛くなっちゃって、なんと、盲腸で入院しちゃったんだってよー」

「うそだ！　うそよー、偶然よー、あんまりいじめないでよー……」

「そしてこの私よ。私が病院にもまだ行ってない時期に、『A子、子供できたんじゃない!?』って言ったのあんたよ。何でわかったのよ」

「何でって、そ、それは久し振りにこの家に来て、扉開けた瞬間に、何かが変わったなって思って……しばらくたっても、やっぱり何かいつもとちがう、誰か他にもいるみたいな気がして……それで、何となく言ってみただけよ」

「普通、言わないよ、そんな事。第一、私、本人だって妊娠だなんて思ってなかったんだから。絶対、魔女よ。自分で自分の事、気がついていない魔女なのよ。ねえ、ここにいるのって男の子、それとも女の子、ねえー、教えてったらー」

あくまでもA子は、そう言いはって、自分のお腹を指さした。


私は、勿論自分の事を魔女だとか、霊能者だという風には思っていない。変なもの……たとえばオバケとか鬼とか背後霊とか、霊関係のものは一切見たことがないし、UFOだってないし、スプーンさえ曲げられない。

まして、魔術や魔法なんて、そんな馬鹿馬鹿しい事、考えたことすらない。

では、こんなたいした能力のない私を何故A子が魔女と呼ぶかというと、それは、たまたま私に何かが起こっている時、側《そば》に何度か彼女が居合わせたからなのだ。

つまり、どんな平凡な人間にも、時々、ほんの時々、理屈で割り切れないおかしい事というのは起こるものなのだ。

それは勿論私にだけではなく、A子自身にだって起こっている。が、彼女は、自分の事となると何も気が付いていないだけのことだ。

私が気が付いている、私の回りの不思議なこと。

たとえば真夜中、電話が鳴る少し前に突然目がさめて、友人の顔がなんとなくボワーンと頭に浮かんだと思ったら、その友人からのベルが鳴るとか……。あるいはその逆で、遠く離れた友人が、私宛に手紙を長々書いている最中に、当人の私がめずらしく電話をかけてしまったりなんてぇのもある。

まあ、しかし、このぐらいは以心伝心などという言葉もあるくらいだから、それは、特筆するほどのことではないかもしれないが……。

この他に——

話はちょっと以前に遡《さかのぼ》る。

大学生活も後半の頃、父が他界したため、私にはもう仕送りというものがなかった。で、私は、テレビの仕事を、大学へ行くかたわら、チョコチョコはじめたのだけれど、何といってもチョコチョコだったから、とても貧乏だった。

貧乏だというのに、その上ある日、部屋にある電化製品が次から次へとダメになりはじめた。

というのも、私が持っていた道具は元々、入学の頃、いとこのお古をもらったものだったので、そろそろこわれても、全然おかしくない時期にきていたのだ。

しかしながら、さすがに冷蔵庫がダメになり、掃除機がこわれ、洗濯機やコタツもアウトだと本当にがっくりする。

第一、生活にもいろいろ支障をきたしてくる。しかし、不便さにいらだったところで、ないものはない。仕方ないが、あったらどんなに楽《ラク》だろうと思いながら、私は時間をかけて、手アライでゴシゴシ洗濯し、ほうきで何度も何度も部屋のホコリをはき出したりしていた。

これぞ天の助けといわんばかりのタイミングで、友人が、

「来週、東京ひきはらって、田舎に帰るけど洗濯機いらない？　いらないよね、そんな物もってるもんね」

と、どうだろう。

と言ってきたり、隣の家に新型の冷蔵庫が届き、古いのを運び出している所に通りかかったり、町内のくじ引きでコタツをあてたり、番組の打ち上げでビデオデッキまであてたり……、とにかく、もらいっぱなし、当てっぱなしで、全電化製品がそろいきってしまったのだ（その頃ではまだめずらしかった大型の留守番電話までもらった）。

「困ってもマジメにやってりゃあ、やっぱし助ける神ってえもんがあるんだー！　カカ

カカカー」

と、私はすっかり得意にさえなっていた。

ところが、そんなある日。

何とこんどは、肝心のサイフの中身が0《ゼロ》になった。

0というのは、まぎれもなく0なわけで、現金にかえられそうな高価なハンドバッグや貴金属類など持っているはずもなく、質屋にさえ行けない状態に陥った。

「仕方ない、とりあえず残りの三千円全部おろして、何か食べてから、今後のことでも考えようっと……」

と、私は銀行のキャッシュサービスへ向かった。

カードを入れ、お金を出し、何となくいつものクセで、ないはずの残高照会に目をやって、驚いた。残高、五十万……になっているではないか。思わず、自分のカードを見直したが、やっぱり私のカードだ。すぐさま、その頃、所属していたタレントプロダクションへ電話して、ギャラの振り込みがあったか否かを確めた。が、答えはノー！

振り込みは月末、まだ三週間先だと言われた。

「一体どうなっちゃってんだあー！」

私は、なんとも変な気分だった。

が、気味悪いとは言え、死活問題なので、とりあえず、そのお金をチビチビおろして使っていた。

やがて、月末になり、テレビ局から明細書が送られてきて、事情がわかった。

本当に笑ってしまうが、他人のギャラがまちがって入金されていたのだ。

テレビ局の名誉の為に一応言っておくと、そんな事はめったにある事じゃあない。おそらく百に一つ、いや千に一つだってないはずなのだ。

私は、使った分のお金を、自分のギャラから払い、勿論全額すぐに返した。

すると、「本当に申し訳ありませんでした」という内容の経理の方からの謝罪状と、局の記念品みたいな物が送られてきた。

助けてもらったのは私の方なのに逆に感謝されてしまって……。

それにしても、私としても、この一連の幸運を誰に感謝してよいかわからなかった。

が、以前のように、

「やったーついてるー、ラッキー！」

という軽い態度は、もうここまでくるとさすがに出来なくなった。

ただただ、目に見えぬ何かに対して、畏怖の念をいだき、神妙な気分になっていったのだった。

さて、やがて私も、俳優業を自分の生涯の仕事として目指し、何とか、この道で食べて行けるようになった頃である。

本当に不思議なのだが、あの頃もらったりクジであてた電化製品は、ギャラが入るたび一つ一つ、まるでうそのように、きれいに壊れていった。

それはまるで、自分の役目はもう終わりました、と言わんばかりだった。

私は、新しいのを買い、古い品物を捨てるたび、

「助けてくれて、本当にありがとね」

と、礼を言って別れた。

さらに、初めてのＣＭの出演が決まり、今までとはケタちがいの大金を手にした日、私の田舎のお寺さんから、

「お宅のお墓の墓石が今朝くずれ落ちてしまいました。もう古いので何か処置された方が良いのでは」

という連絡をもらった。

大金を手にした時、きっと何かが……とチラッとは思ったが、まさかお墓とは想像していなかった。

しかし、「なるほど、そうですか」という納得の気持ちが強かったので、さっそくそのお金で、お墓を建てなおしたのだった。

さて、私のこの不思議な体験を何と呼ぶのか知らないけれど、ここまでくると、ただの偶然ではない事は、よくわかってくる。

しかし、わかったからといって何をするというものでもない。ただ、その流れに身をまかせ、森羅万象を受け入れるような気分でいるしかないと思うのだ。

ケツの穴

二月の雨降る午後、私はリハーサルの為、TBSに向かって、タクシーを拾った。

この日はリハーサル後、取材が二件ばかりあって、私はそれ用の衣裳やメイク道具の入った大きなカバンを持っていた。
三、四十分程乗って、一ツ木通りでTBSの玄関前が見えてくると、運転手のおじさんが、
「お客さん、そこがTBSだけど、この辺でいいですか」

と、言った。

私が、

「あっ、すみません、そこの玄関の所、右に曲がっちゃって、TBSの中、入ってもらえますうー」

と、言うと、

「えー！　中入るのぉー、いやー、ダメダメ。お客さん、そりゃあだめだ。できないよ。ここね、中入れないんだよね」

と、おじさんは強く拒否した。

TBS前の様子をちょっと説明すると、大きな建物に向かって右側に、普通の道路と同じかんじの二車線幅の道がある。この道は、このTBSの建物に沿ってついており、いろんな倉庫やスタジオの横を抜けて、裏側の公道と接続している。つまり、TBSの建物がなくなった場所で、この道も行き止まりという風になっていないので、一見、どこまでが公道で、どこからが私道なのかわかりにくくなっているのだ。

ただ、TBSの入口玄関先にあたる道の横に小さな守衛BOXのようなものがあり、いつもそこで、守衛さんが入って来る車のチェックをしている。ここで、TBSに用事のある車と、そうでない車の点検をして、勿論ただの通り抜けに入って来た車には、「ここは私道だから、通り抜けできませんよ」と言って進入禁止をしているのだろうと思う。しかしながら、TBSの裏手には、このような守衛さんはいなくて、裏から入った場合は、ノーチェックで入って来て、ノーチェックで表から出て行ける（出て行く車には、さすがの守衛さんも「どこへ行ってきた」とは言わないのだねえ)。
この守衛さん——おそらく何人かいて、きっとローテーションを組んでいるのだろうと思う——の、表でのチェック状況はかなりまちまちで、人によっては、
守「はい。どちらまで」(ぶしつけ)
私「えーとー、リハーサルですうー」
守「何!? リハーサル!?」(ぶっきらぼう)
私「あっ、は、はい」
守「何の」(疑惑)
私「え、えっとお、ド、ドラマの……」
守「名前、何《なん》てーの?」(不審)
私「ム・ム・ムロイ、シ、ゲーゲ・ゲ・ル……」
守「ドラマの名前だよ。名前言って」(横柄)
私「あっー『ママって、きれい!?』です」
守「へっ、そう、行ってよし」(うわの空)
なんて、かなりネホリハホリの時もあれば、全く、何も聞かずにスッと通してくれる

時もある。

そのムラのある対応に、

「ねえ、ねえ、ねえ、若富さんが（俳優の若山富三郎さんのこと）表で守衛に止められたもんでさあ、『俺だ！』って答えたら、守衛がさらに『何でしょ』って聞き返しちゃって、ムッとしてUターンして帰っちゃって、リハーサルとんじゃったんだってよ」

などの類の噂話まで、まことしやかに流れるくらいだ。

（余談だが、若富さんは、NHKの玄関先の守衛さんにも『どちらへ？』と言われ『俺だ』と言ったのに通してもらえずUターンしたとの伝説的噂がある。——NHKは、作家の高橋三千綱氏が俳優にナイフで刺された事件以来、玄関前の人の出入りのチェックはことに厳重とか!!）

しかし、実際、このチェックは、とても不快で、無意味に思える。第一、関係のない車でも入ろうと思えば簡単なのだ。

が、もっとも、このタクシーの運転手さんのように、カタクナに入ろうとしない人もいるみたいなので、もしかしたら、少しは何かの効果があるのかもしれない。

まあ、そういうことで話をもどそう。

「大丈夫だから運転手さん、気にしないで中入ってよ」

「お客さん、ここね、テレビ局だからねえ。そこの守衛に止められて、いろいろ聞かれるよ」

「いいのよ聞かれても、私、ここに用事があって来たんだから」

「だってねえ、私、責任持てないですよ。第一、ここ私道ですよ。入っちゃーいけないんだ」

運転手さんはあくまで、入りたがらない。しかし、雨の中、重い荷物を下げて、中の坂を上って行くのは私とて嫌だった。

「嫌よ、こんな雨ん中。この中ね、きつい坂になってんの。この坂が苦しいからタクシーに乗るんじゃないの。ここで降ろされたら、乗った意味がなくなるのよ、運転手さん」

「困ったなー、俺、文句言われるのいやなんですよ」

「文句なんて言わせないから。私ね、タレントで、ここに仕事に来てんだから」

「お客さん、タレントなのー。……そう……お客さんタレントさんだから叱られないかもしれないけど、お客さん降りちゃってから、出る時に俺、きっと叱られるでしょう。

……叱られるの嫌なんだよねー」

運転手さんは、もう初老にさしかかった、いいおじさんだった。しかもキャリアある、個人タクシーの運転手なのだ。

私はとうとう、この「叱られる」の言葉を聞いているのがいやで車を降りた。

しかし、一体、誰が大の大人のおじさんを叱るというのだろうか。お願いだから、もっと自信を持って、ＴＢＳの守衛さんに負けないで欲しい。

恥とおばさん

私はまだ子供を生んだことがないので、子を持つ母親の苦労というものが、実感としてあまりわかっていない。そのせいか、子連れのおばさんというのが、どうも苦手だ。おばさん個人でいる時は結構好きな人でも、子供と一緒になると何か普段と違ってみえるのだ。

勿論、小さな子供を連れている時には、いろんな注意を払わねばならぬだろうし、ましてワンパクな子供を持っているおばさんは、イライラも人一倍で余裕がなくなるのもよくわかる。

しかし、私が嫌だと思うのは、そういうゆとりの無さでは決してない。子供と一緒になると、おばさんの自己主張の強さが、一気に倍増してしまうのが、とても気になるのだ。

か弱い者を擁護する上で出てくる自己主張というのは認めるが、それでも、何から何まで当然のように「私が」「うちの子に」というのは、ちょっと困りものだと思うのだが……。

さて、そこで私が出会った子連れのおばさん二人の場合を書いてみたい。

一人目のおばさんに会ったのは、沖縄から帰って来る飛行機の中だった。

私は空からの沖縄の海というのをまだ一度も見たことがなかったので、その日は少し無理をして早起きし、窓際のタバコの吸える席をとったのだ。

さてさて、搭乗時間までの間、私はゆったり食事をして、たっぷりみやげも買って、すこぶる御機嫌で、飛行機に乗り込んだ。ところが、自分の指定の座席に行ってみると、そこには小学校一年ぐらいの男の子と、その母親が、すでに座っているではないか。私はもう一度チケットを確認してから、

「申し訳ありませんが、そこ……その窓際の席、私の席なんです」

と、なるべく静かに話しかけた。

するとこのおばさんは、

「ええ!? 本当ですの。まさか……座席券を見せてちょうだい」

と、言うではないか。手違いで、航空会社がだぶってチケットを発行したのでは、と思い、私も慌《あわ》てて彼女に差し出してみせた。

「ホホホホ、まあ、すみませんねぇ。子供なものですから、お外《そと》が見れる所じゃなきゃ、気持ち悪くなっちゃうって言うんですよ」

「……なんてこった……」

ひどく不愉快だったが、子供を前面に出されたんじゃ、「私だって、お外見たいもん」とは言い返せなかった。

私は渋々通路側の席について、気をとりなおそうと一服しはじめた。すると再び、

「すみませーん」の声が飛んできた。

「すみませんねぇ、子供がいるんですよ、タバコは御遠慮していただかないと」

と、シレッと言われてしまった。

「ごめんなさい。私、これがないと、きっとゲロっちゃうんで、お嫌だったら禁煙席にどうぞ」

今度はそんなセリフが喉まで出かかったが、そこは気の弱い私、言葉をのみ込んでタバコをもみ消した。

この後、仕方なく私は不貞寝《ふてね》をきめこんだのだが、このおばさんが、機内サービスのミルクを断わって「うちの子、コーヒーのブラックしか飲まないの」とキンキン言っている声まで耳につきささってきて、ついには耳栓も欲しくなる始末だった。

本当になんともいけずうずうしいおばさんで、すこぶる気分が悪かった（ちなみに窓のブラインドはついに羽田まで開くことはなかった）。

もう一人のおばさんとは、半年程前渋谷で会った。

その日、小雨がぱらつくなか、私は大きな荷物をさげてタクシーを探しながら東急本店の方に歩いていた。

あいにく金曜の夕方で、行けども行けども空車が見つからなかった。が、かなり坂を上ったところで、十五メートルぐらい先に、やっと一台、赤いランプの車を見つけた。

「やったー」と思い、私はそのタクシー目がけて走り出した。

その時である。あと三、四メートルでタクシーというところで、左前方から、もう一人女の人がタクシーに向かって駆け込んで来る図が、チラリと私の目の端の方に入ってきた。でも、私は勿論それにはそしらぬ顔で、なおもダッシュして、タクシーのドアへたどりついた。

扉が開き、車に乗り込もうとした時、私より到着が三、四秒遅れたこの女の人が、

「ちょっとそのタクシー、私が先に見つけたのよ！」

と、言ってきた。

私は、この言葉にギョッとなり、思わず相手の顔をマジマジと見た。

四十前後のとてもおしゃれな女の人だった。そして、それまで気がつかなかったのだが、彼女のすぐ後ろに、五、六歳ぐらいの女の子がチョコンと立っていた。

私は、子供がいるんじゃあ仕方ないと思い「ごめんなさい、気がつかなくて、さあどうぞ」と、タクシーを譲った。すると、女の人は反射的にハッとした顔になり、

「あなた傘がないのね、私ったら何てことを……。いえ、いいんです。ごめんなさいね」

と、真っ赤な顔をして後ずさって行った。しかし、私の方も、今さら、ああそうですかと乗ることもできず、

「いえいえ、大丈夫です。私、また拾いますから、どうぞ」と、後ずさった。

こうして、タクシーを真ん中にはさんで、お互い譲り合いながら、どんどん退いてゆくので、タクシーの方が「お客さん、乗らねえの！」と言って、バタンとドアを閉めて

しまった。

結局、雨でボロボロの私の方が乗ってしまったのだが、それでも女の人はまだ赤い顔をして、そんな私に軽く会釈をして見送ってくれた。

「先に見つけたのよ」という発言は、何ともおばさんチックで呆れたが、子供連れだとついそんな風になるものかも……と、この件には納得。むしろ、先に乗ってしまった自分がそれで良かったのかと、後々も気になった。

将来私に、もし分身のような可愛い子ができたら、どうだろう？「馬鹿言ってんじゃあないわよ」と、どこのおばさんより凄くなったりして……。

アタシ悩んでます

昨日、今日と夜な夜な同性愛映画を二本見た。一本はフランス映画で『背徳の女／地獄を見た女たち』で、もう一本はイギリス映画で『モーリス』だ。男と女、男と男、女と女、まあ世の中、この組み合わせしかない訳だから、別にそう悩まなくてもええじゃないのーと、私なんて思っちまうんだけど、時代とか国によっては〝禁断の愛〟という事で〝死刑！〟なんてー事になってたんだからメラメラ燃えあがってしまうのも無理ないかーっ！ってなもんだねぇー。しかしまあ、この手の映画は小雨降る深夜、こっそり自室のビデオで観るのが一番だ。

以前、男友達が「俺さあ、『モーリス』とか、『プリック・アップ』とか『アナザー・カントリー』とか、すっげー興味あんだけどよー、どうやって行けばいいか悩むぜ！」と、電話してきた。「悩むって？」と尋ねると「だからよ、誰と行けばいいのか、ちょっとあの手の映画は困るだろ。男同士で行くと絶対ホモだって思われるし、一人で行くとホモに狙われるし、大勢で行くと面白がってるみたいでホモの人たちに悪いし、彼女と行くと途中で出たいって言うかもしれないし、兄ちゃんと行くと『お前、何か人に言えない事でもあるのか？』って聞くだろ、難しいんだよ。だからお前と一緒に観に行こっかな」と誘ってきた。私はこんなに深く考え込んで映画に行こうとする友人はやっぱり怪しいと感じ、「ねえ、本当はホモなの？」って言ったら、彼は「そら見ろ！」と残念そうにプツリと電話を切ってしまった。以後彼がどうしたかは聞いていないが、そうだ今夜電話して「ビデオで観ろ、じっくり落ち着いて観られるぞ」と言ってあげよう。

東京あたりじゃ、今や〝レズ〟〝オカマ〟〝オコゲ〟（オカマにベッタリくっついている女の事）、はワサワサいて、別に誰もその事情を隠そうともしない。が、かつて田舎じゃー、やっぱりそういう人は珍しかった。

高校の時こんな事があった。私の田舎の高校に頭のものすごくきれる、骨太の女言葉で話す日本史の先生がいた。

容姿はまったくおじさんそのものなのに、口調やしぐさが完璧におばさんしているこの先生を、ひと目見て驚かぬ生徒は一人もいなかったが、だからといって、その先生が、本物の「ホモ」だったかどうかは、今となっては知る術《すべ》もない。

ただ、田舎町で、こんなに堂々と女言葉を話せる男性は一人もいなかったので、仮に彼が女子生徒より男子生徒の方により興味があったとしても、そのデンとした奇天烈《きてれつ》さに、皆圧倒され、先生のあるがままの姿を自然に受け入れていたものだ。

そして、先生の授業は、まるでオカマバーのオカマの毒舌を聞いているように面白かったので、生徒にはとても人気があった。

ある日の夕方、帰りの電車の中でその先生が、

「室井さん、今、お暇？　英単語覚えなくていい？　あーん、だったら、ちょっとだけ私の相談にのっていただけないかしら……」

と、私の横に腰掛けてきた。

先生の方から女子生徒に声をかけるなんて、とても珍しい事だったので、私は少しギョッとして身をかたくした。

「実は私、テニス部の顧問なの。御存じでしょ。私ね、テニス部のA君がとっても好きなの。とっても素直でやさしくて、スポーツマンで、シビレルワー」

「A君……!!　はあ、あっ、そうでしたか……」

「私、彼のこと、とっても可愛がっててね、毎晩電話で『お勉強頑張ってね』って励ましたり、時々、わかんないところを見てあげたり、テニスのラケットやくつ下もプレゼントしてあげたこともあるのよ」

「……」

「ところがね、最近困ったことがあって……」

「な、なんでしょう？」

「それが、A君たら同じテニス部のB君となんだか仲良くなっちゃって。……私、最初B君って不良っぽくて大嫌いだったのね。だから、A君に『悪いお友達はあなたも悪くする。まさかB君からタバコなんて習ってないでしょうね』って忠告したら、『先生、Bはいい奴ですよ、そんな事言わないでください』って言われてねぇ……。で、A君のお友達だからやっぱり嫌っちゃいけない！　って思い直してB君を毎日ジーッと見つめていたの。そしたら、B君のA君にない良さが見えてきて、B君の事もステキって思うようになってしまったのね。ほんでもって、B君にもお電話したり、ラケット買ってあげるようになったの。ところがねぇ、ちょっと困っちゃって……」

「何故ですか、A君の言うようにB君もいい子だってことがわかって良かったじゃないですか」

「違うの！　違うのよォー、それが最近、A君とB君の仲がどうもしっくり行ってないみたいなのよ。コートで顔を合わせても口もきかないの。ねえ、これって私のせいかしら？」

髭の剃り残しが目立つ先生の顔は、電車の窓から降り注ぐ夕陽を浴びて、いつになく憂いを帯びており私はとても恐かった。しかしきっぱりと言ってあげた。「先生、A君とB君の間がまずくなったのは、それは先生、あなたのせいだと私は思います」。先生は一瞬「まさか、まさか、まさか信じられない！」という表情でストップモーションし、その後、頬を嬉しそうにピンク色に染めて、コマ落としで項垂《うなだ》れていかれた。おお、禁断の愛、憂愁の美学!!　今となっては遠く懐かしい思い出だ。

私って温泉好きなのに……

私が子供の頃、私の町の主婦達の娯楽というと、週末に、一泊二日、あるいは日帰りで温泉に行くことだった。

家事や旦那の世話、姑さんへの気遣い等々から解放されるので、皆許される限り、暇さえあれば温泉へ行きたがった。

別に、温泉で何をするわけでもなく、繰り返し湯につかり、少々お酒を飲み、主婦達は各々家の中の鬱憤《うっぷん》をぶちまけ、近所の嫌な主婦の悪口を言い合っているだけであった。

が、皆、この温泉で、よっぽどストレスが発散しリフレッシュできるらしく、旅館を出る時には、次回の計画をかならず立ててから解散したものだった。

さて、私達子供は!? というと、こんな時たいてい家に置き去りのケースが多かったが、「あそこの嫁は、また子供をうっちゃって温泉三昧」と、少々評判になり始めると、主婦達はあわてて子供も連れて行くのだった。

ところが、これが私達にとっては、あまり面白くない。折角の日曜日、出来ることなら遊園地や水族館、デパートや映画館へ連れて行ってもらいたかったのだ。山の中の温泉など、風呂が豪華なだけで、他には何もない。

しかも死ぬ程熱い湯に、これでもか、これでもかという程入れられて、挙げ句のはてには、湯あたりまで起こしそうになった。ＴＶも見れなきゃ、夜ふかしもさせてもらえない温泉なんて、子供にはちっとも魅力的な所ではなく、温泉へ行きたがる大人たちの気持ちは、さっぱり理解出来ぬものだった。

さてさて、それでは、そんな私が大の温泉好きになったのはいつの日からだろう。好きになった境目みたいなのはもう忘れてしまったが、とにかく今では、「冬」という言葉を聞くだけで、「温泉と日本酒」がポッと頭に浮かぶ程、大の温泉好きになってしまった。

温泉は一人読書に行くも良し、二人イチャイチャ行くも良し、三人かしましく行くも良し、四人麻雀に行くも良し、団体で宴会に行くも良し、仕事でロケに行くもまた、いいものだ。しかも温泉旅館が、簡素で清潔で、食べ物もうまかったりすると本当にもう天国だ。

しかしながら、そんな旅館には、そう簡単には巡り会えない。たいていの所は、かならず何かしらある。

宣伝にばかり金をかけてる割に、団体のカラオケがすこぶるうるさく、ゲームコーナーにはガキが山と群がり、仲居さんの化粧がやたら濃く、飯は冷や飯、風呂はただの水道の沸かし湯で、呼びもしないのにマッサージのおばちゃんが来ちゃうニセモノ派から、チェック・アウト、メシ時間にやたらうるさく、夜は門限があり、ちょっと遅れると閉め出しをくらい、夜中麻雀やればどやされる規則厳守派まで、温泉にもホントいろいろある。だから、せっかく休みをとって、仲間を集めて「温泉だぜー！」と盛り上がっても、肝心の旅館をカスルと、とんでもないことになる。たとえば——。

万全の注意を払いながらも、カスッてしまった私の話をしよう。

もう数年前になるが、仲良し女七人で、箱根の温泉へ行くことになった。

旅館は、中の一人が以前行ったことがある所で、とてもグッドだと言うのでそこに決めた。

さっそく電話で予約を入れたところ、とても感じのいい御主人で、すこぶる気分が良かった。ただ、一つだけ、「七人以上になると料金が一人一万円だが、六名までは一万五千円でございます」と言われた時は、少し変わってるなあとは思った。が、そりゃあなんたって得だと思い、最初六人だったのをもう一人誘って七人で予約をとった。

さて、当日。

友人が自慢するだけあって、そこは本当に素晴らしい所だった。とてもしっとり落着き、清潔で、静かだった。客は十五名以上とらぬという御主人の主義で、それ故、客一人一人に対しては、それはもう手をかけてくれた。お風呂も三つあったし、夕飯は松阪牛のスキヤキに刺身の盛り合わせ、山の幸と、デラックスでしかもおいしかった。

酒やケーキやフルーツを持ち込んでいるのを見ても、ニコニコとグラスや水、コーヒーを出してくれた。おまけに「明朝のお食事は、お客様が起きられた時間に合わせますので、どうぞごゆっくり」なんて言われちゃったので、皆それを夜中好きなだけ盛り上がって結構という意味にとり大喜びもした。

さて、風呂からあがり、部屋に戻ると、蒲団が六組しか敷いてない。一組忘れているのだと思い、御主人に言うと、「もう一名様は一階の松の間にございます」と言うではないか。皆、御主人の言っていることがよくわからず、不思議そうにしていると、

「この部屋が十二畳でございますので、どう敷いても六名様でいっぱいでございます。申し訳ございませんが、一名様だけ御容赦ください」

と、御主人。

「でも、ここ、まだこんなにゆったりしてるから詰めればもう一枚敷けますよ」

「いえいえ、それは無理です」

「無理って、一人一畳あれば私達十分だから」

「いえ、一名様、畳二枚がゆっくりお休みになれる限度でございます。私共、せっかくいらっしゃったお客様に窮屈な思いをさせては……」

今時こんな熱意を持っている人も珍しい。おまけに割引きまでしてもらって……。私達も、さすがにそれ以上お願いできなかった。

しかし、誰もが一人ぽっちになるのは淋しくて、結局夜中の一時過ぎ、私達は皆が寝しずまるのを見はからって、一階の松の間から蒲団を二階へ運び、朝の五時にまた元の所へもどして置いた。すると御主人がザワザワしている私達を早起きな客と勘違いして、なんと六時にもう朝食となってしまったのである。

朝寝の夢はこうしてあっけなく消え、各自、目の下をどす黒くさせて早々に帰路についた。

あまりにりっぱな温泉に、かえって気をつかいすぎたのが、私たちの敗因だった。ベストな温泉を選ぶ道。それはまだ険しい茨《いばら》の道と見た！

K子の相談

高校時代の友人のK子から、ある日、ちょっと相談に乗って欲しいという電話をもらった。

「それで、何、相談って!? 何かあったの」

思い出話にひとしきり花を咲かせたその後で私の方からきり出した。

「それがさあ、親戚の女の子のことなんだけど……」

「女の子!?」

「そう。実は、女優になりたいっていうんだけどさあ」

「女優に……へえー。で、その子何処の高校行ってんの」

「寺家……」

「うんー?? 寺家? 寺家高校なんてあったっけ。小学校なら知ってるけど」

「……そう、寺家小学校なのよ。今、小学校三年生」

「キャハハハハハ、アハハ、あー、ゴメンゴメン。私ってはやとちりだね、相変わらず、へへへ」

「小さい時から、ものすごく女優に憧れてて、だから、シゲちゃんに聞いて欲しいって」

「ハハハ、ヤダー、小さい時って小学三年なんでしょ？　今だってまだ小さいじゃん、へへへ、あっ……ゴメン。で、何を私に聞きたいの？　どうすれば女優になれるかってかぁー」

「あのねぇ、まじめに聞いて欲しいんだけど、あっ、その子、タカ子っていうんだけど、あの、タカちゃんね、音楽の成績もとってもいいし、ピアノがひけて、バレエだってかなり踊れるし、学芸会じゃあ、いっつも主役なんだって。そいでねぇ、思いきって東京の劇団に応募したら、受かっちゃったんだってさあー。そいでね、小学校も転校させて、女優の道にかけてみようかって……」

「お母さんがそう言ってんの!?」

「そうなの。これだけ好きなんだから『好きこそものの上手なれ』だろうって。なんとかしてこの子の夢をかなえてやりたいって……」

「ねえねえ、そのお母さんもさあ、昔、女優とか歌い手さんとかになりたかったっていう口《クチ》？」

「う―ん、タイプ的には絶対ちがうと思うけど、意外にそうかもしんないし、ちょっと、わかんないわねぇ、まあ、今はただの太ったおばちゃんだから」

「そうかー、東京に出て来て、子役になるってことかあ。……子役……子役ねぇ……プハァー（と、私はここでタバコをふかす）」

昔、伊武雅刀さんが「私は子供が大嫌いだぁ」ってな歌を歌っていたけど、私はどっちかっていうと、「私は子役が大嫌いだぁ」と叫びたい方の人間なのだ。

子役というもの、私の目から見ると、おおよそ二つのタイプに分類される。

㈠妙に大人びて、しっかりしており、業界用語などもすっかり身につけ、自己アピールや挨拶がうまく、おまけに、俳優さん達やスタッフの人々にゴマをすったり、ヨイショできる子役。

例「やあ、おつかれムロイちゃん。いいなー、ムロイちゃんこれで終わりでしょう。僕なんかさぁ、これからフジとてっぱってるからさあ、行って来いすんだよぉー。何とかダシ時間に間に合うよう、巻いて欲しいんだよね。明日の朝のロケとリハも、この組、両天かかってるから、まいっちゃうよねえ、体きつくて、ホント、ユンケル飲まなきゃもたないよ。あっ、竹之下監督、おはようございまーすぅ。テヘッ！」

㈡見かけは、まったく子供らしい子役。子供なので、眠くなったり、お腹がすくとぐずり出したり、わがままが出たりする。とにかく、気分をそこねると、撮影ができなくなるが、芝居は、はまるとものすごい。たいていの大人の俳優は芝居をくわれてしまうのだが、撮影できなくなると困るので、皆、ヨイショしてしまう。

例・女優「あらーミカちゃん、今日は早いのねえ。お目目《メメ》早く開いたんだー。エライネエ。じゃあ、おねえちゃん、ごほうびにチョコあげる。はい。これ、おいちいでちゅよー」

子役「いらなーい。虫歯になるから、ミカちゃん、チョコいらないもーん。おばちゃん食べてー」

女優「お、おばちゃん!?……あっハハハハハ、あらーかわいいねぇ、ぬりえやって、いいなーミカちゃん。いいなー楽しそうでぇ、私もやってみたいわー、ホント、ホホホ」

子役「もう一個、ミカちゃん、ぬりえ持ってくるから、おばちゃんもやる?」

女優「えっ!? あっ、私……あっ、お、おばちゃんは今、いいわ」

子役「だってぇ、やりたいって言ったのにー、おばちゃんのウソツキーぬりえ一緒にやんなきゃいやだー、びえー〰〰(泣き出す)」

あくまでもザッとの分類だ。

勿論、全ての子役がこうではない。

なかには、自閉気味で、お母さんがお医者さんに相談したところ、「劇団なんかに入って感情解放できると、治ることもあるんですよ」と、すすめられ、子役の道を歩みはじめた子もいる。

だから、私とて、子役を全否定するつもりはない。そりゃあ、ドラマの中に、子供の役だって必要だし……。

でも。でもなのだ。でも、やっぱり、私は、子供が遅くまで大人に混じって働いているのとか、そのきれいな肌にドーラン(専用の化粧品)をぬって紅をさしたりしているのは、あまり感心できない。嫌なのだ。見たくないんだ。

そして、どんな子供でも、テレビや映画に出慣れてくれば、学校でも特別視されるだろうし、自分自身「私はスペシャル」という意識も持ちはじめるだろう。

私には、このことが、決して楽しいこととは思えないのだ。

「あのさあ、たまのたまに……だといいなって思うわけよ。何も今から専門職になんかしないでさあ、時々、チラッとってのがいいよね」

「……そう、そんなにイビツな子供になって行くものなのかしらー」

「うーん、皆なると言いきるつもりもないけどね……。でも……だってさあ、その子タカちゃん、つったたっけ?! その子んちお金持ちなの？」

「ううん、普通だと思うけど。だから東京へやるにあたって、田んぼ、少し売ろうかって言ってんだよねー」

「ほらー、もう、そのことがすでに変だよ。その劇団っていうのが悪い所だと、ただただぼったくられるのが関の山だよ。そんなにお芝居やりたきゃー、田んぼに、やぐらでも組んで、田舎で野外劇でもやったらいいよ。お母さんもお父さんも一緒に楽しんでさぁ。そういうのが大事だと思うんだけど」

「そうね、わかった。一応言ってみる」

それにしてもそのシゲちゃんの言い方、変わってないわね、——苦笑しながらK子はそう言って、電話を切った。

さて、その後、私は自分の仕事場で、まだタカ子という名の女の子には出会っていない。

私のX《エックス》DAY

先日、友人が電卓を差し出して、

「滋ちゃん、君のバイオリズム、これで調べてあげるよ。生年月日は？」

と、言った。

占いは嫌いなのに、またかよ！　と、うんざり顔をしたら、

「いやいや、バイオリズムは占いとは違うよ。科学だよ。知っておくと、何かといいよ。君の為になるし……。まあいいや。しかし、一般的に自分が生まれた曜日、これには注意した方がいいらしいってこと、覚えといた方がいいよ」

と、あくまでも強く言い放って友人は去って行った。

バイオリズムなるものの正体が何なのか、それが生年月日と、どう関係があるのか、私には全くチンプンカンプンでよくわからない。

が、人には感情の起伏や体調の一定の周期とかリズムみたいなものがあるらしいことは、私にもなんとなく理解できる。

例えば女性の場合、生理というものがある。生理中に、頭がボーッとして事故にあったとか、ついつい万引きをしてしまったなどという女の人は割といるものなのだ。

私の場合も生理を中心に、食欲、肌の具合、胸の大きさがグルグル変わる。

そしてさらに、私は万引きはしないが、それでも月にただ一度、感情をどうにもセイブできない日がある事を最近発見してしまった。

最初はただ、「時々本当にイラつくわ。全部いやになって逃げだしたくなってしまう。理由《ワケ》といって、それ程ハッキリした理由もないし……」と、暗く落ち込んでいた。が、その内、暗く悲しみにひたりながらも、その一方で、この落ち込みが、生理前のある一定の日にかならずやってくる事を発見したのだ。

この生理前のX DAY、私は恐ろしいことに、私から見ても本当に私ではなくなってしまう。

まず、全体的に低血圧ぎみで体がだるく、指先に力が入らない。私にしてはとても珍しい事に、食欲がこの日だけ急になくなる。集中力がひどく落ちているので、普段やらないミスをここぞとばかりにやらかす。……カギをかけ忘れ、サイフ無しでタクシーに乗り、傘なぞ絶対に置き忘れ、仕方なくトボトボ歩いていると、ほんのクボミにつっかかって転《ころ》んでしまい、その拍子に自分の靴下の左右の違いにはじめて気がつく。

トラブルだらけなので、人との約束には勿論遅れ、挙句《あげく》の果て、相手の話もうわの空で聞いていて、かならずヒンシュクを買ってしまう。

しかし、こんなふうに一日が、ただただボーッとしたミスだけで終わってくれるのならまだいいのだ。怖いのは何といってもこの先だ。

途中までボーッとして、まるっきりマヒしたみたいな状態だった神経が、何かのきっかけで、いきなり一点に集中しカンカンカンカンと鳴って動き出すのだ。しかも良い方にではなく、悪い方へ悪い方へと……。友人の何気ない一言をキャッチした耳から、カーッとなった血が体中に回って、思ってもいなかった暴言が自分の口をついて出る。びっくりして目をまんまるにしている友人に次々と重箱のスミをつつくようなせこい理屈をこねまわしてあびせる。

そして、「滋ちゃん、疲れてんだよ、帰って休めば」とやさしく相手に往《い》なされて、おまけに電車賃まで借りてみじめに去るという結果にやがてなってしまうのだ。

夕暮れ時の山手線の中、急に流れはじめた電流に、私の頭はついてゆけず、ジンジン痛み出し、気持ちは重く沈みきってゆく。

さらにまずいことには、こんな私に電車の中の痴漢が、ねらいをつけてくる。目的の駅まであと一分という所、ドアのガラスにピッタリはりついて身動きできないでいる私のおしりに、誰かがコブシをあてている。電車のマクラギの「ガタン、ガタン」という震動に合わせて、そのコブシは、「グリッ、グリッ」と次第に動き始めた。おしりの不快さにかさなって、一度沈んでいた気持ちが再び飛び起きて、私は怒りをこめて振り返り、コブシの男をにらみつけた。かみつこうと思えば、すぐにかみつける程、間近に男の顔があり、また、その目もギョッとして私を見た。しばしの間、バチバチと星が出そうなくらい目と目の間には緊張感が生まれたが、次の瞬間、ガタンとドアが開いたので、私は、そのはずみで目線を切って電車から降りた。

どうしたことだろう。

私はただ、目線を切って、自然に電車からスッと降りただけなのだ。勿論、男に何も言わなかったし、かみつきもしなかったし、指一本ふれなかった。

なのに、男は私の降りた後、電車とホームの間に足をすべらせ、その場で倒れてしまった。

遠ざかる私の背後で、女の悲鳴と、「大丈夫ですかー」「皆さん、おさないで！」の声がする。

何が起こったのか、いや、自分が何を起こしたか、X D A Yの私の中の私のみぞ知るなのである。

プライバシー？

先日、ある特集番組を観て驚いた。

確か、『今どきの学生さん』とか何とかいうふうなタイトルがついていたと思うが、番組は主に、今の学生の暮らし全般と昔の学生のそれを比較した内容だった。

とにかく今は、ほとんどの学生が、シャワー付風呂付アパートかワンルームマンションを借りるということで、昔ながらの下宿屋や木造アパート、寮などは急激にすたれ減っているということだった。

驚いたというのは、取材ビデオ中で紹介された、とある郊外の学生専門の高級マンションにである。

高層ビルのファッショナブルなその建物の玄関は当然のようにオートロックで、その中にはロビー、喫茶、ミーティングルーム、アスレチックジム、スカッシュ、プール、サウナ等が完備されており、各々の部屋の鍵も今はやりのカードキーなのだ。

取材カメラが一人の女子大生の部屋に入ってみると、そこはAVセットがズラリならんだ冷暖房付、ピアノまであるワンルーム形式の一室であった。そして、インタビュアーの質問にその女子大生は、

「はい、住みごこちですか、まあー、清潔だしー、壁が厚いから音がもれないでしょう。それからー、オートロックで自分のプライバシーが守れるから、まあまあってとこかしら、ウフフ」

と、ペロリと答えていた。

思わず、テレビの画面に、「何がプライバシーだ!!」と、はきすててしまった私は、やっぱりもう古いのだろうか。

七年で大学を中退したのは、つい先日のような気分でいたが、今の学生生活は、もう私の頃とは確実に違うのかもしれない。

私が大学生の頃だって、マンション暮らしの学生はいたし、外車に乗って通学する学生もいたし、海外旅行にばかり行っている学生もいた。しかし、全般の気分としては、安いお酒をうんと飲んでコンパでゲロをはきたかったり、バイトのお金を全部マージャ

ンにつぎ込みたいみたいな風潮で、仮にお金があっても、決して今のようなハイブロー
な生活などは皆、眼中《ガンチュウ》になかったような気がする。第一、田舎から出て来てキョロキ
ョロしている学生のどこをつついたって、〃自分のプライバシーを守る〃などという言
葉は出てこなかったと思う。

今、〃プライバシー〃という言葉が出たので改めて考えてみるに、たとえば私、私の
学生生活の中で自分の〃プライバシー〃とはどんなだったろうか（まあ、私は私で、今
と全く逆の意味で当時の学生全般のアベレージとはかけ離れた生活であったと思うが
……）。

当時、大学一年生の私のアパートは、早稲田大学の真ん前で安部球場の隣りにあった。
ついつい何かの成り行きで借りてしまった六畳一間は、半畳のキッチン、トイレ共同、
勿論バス無しのモルタルの安アパートだったのだが、さすがに地理的理由から、またた
く間に皆の溜《たま》り場になり、昼となく夜となく、クラスメートや先輩たちが、誰かかれか
ゴロゴロしていた。毎日パーティーみたいで、こりゃいいやーとゴクラクトンボだった
私も、さすがに半年経つと、たまには一人の時間が欲しいと思い始めたのだが、その頃
辺りから、私のような暮らしにあこがれて、友人の何人かが大学の傍に引っ越して来た。

で、丁度いい具合にアジトも分散して、なおかつ、コミューンのような暮らしに入り、なんだかとても居心地良かった。

当時、プライバシーという点で少しひっかかる事があったとしたら、ただ一つ、それはアパートの管理人のおばさんの事があった。

例えば、——陽が落ちて、アパートに帰り、廊下を行くと、私の部屋から明りがもれている。

「あれ!? 電気消し忘れたかなぁ」

と、思ってドアに鍵を差し込むと、何故か鍵も開いている。さらにあれ!? となって、ドアを開けると、友人がおでんをつつきながら、ビール片手に「よう！」と手を振るのだ。

どうしちゃったの？ と尋ねると、下の体の大きなおばさんが、グラウンド坂下を歩いていた自分に、「あらT君、久し振りねぇ、もうすぐムロイさん帰って来るから寄っていきなさいよ」と、声を掛けてきたので、ついて来たところ、おばさんは鍵の束の中からこの部屋のをとり出し、「散らかってるけど、どうぞ」と中へ通してくれ、おまけにおでんとビールをおばさんの部屋から持って来てくれたんだ、と答えた。

それは、その時一度だけではなかった。

管理人のおばさんは、路上で私の友人を見かけると、かならず声をかけ、私の部屋で休んで行けと誘い、ビールと自分の手料理何か一品でもてなすのだった。

夜遅く部屋で宴会をやって、「うるさいぞ！」と、どなる管理人は想像がつくが、彼女の場合はちょっと特殊だった。

それにしても、彼女は、友人が私の部屋に来ていると、かならず「いらっしゃい」と、顔をのぞかせていたせいか、ことの外、私の友人たちの顔をよく覚えていた。

私は彼女のこの行為を、さすがに気持ち良くは思っていなかったが、私自身とりたてて大騒ぎして拒めるような生活形態でなかったので、「まったく誰んちかホントわかんないよねー」と軽いイヤミのジャブを打つのが関の山だった。その上、ましてこのイヤミすら、彼女は自分にではなく、私の友人が言われているのだと思ってニヤニヤしていたぐらいだから、少々の事を言っても何も通じやしなかった。で、結局私自身、毎度毎度、仕方ないかとあきらめ、ついには、ほとんど気にならなくなってしまったのだった。

さてさて、ここまででも、このおばさんにかかったら、〝プライバシー〟など木っ端微塵だというのは誰から見ても明らかなことなのだが、いやはやまだまだ。――こんな事もあった。

ある秋晴れの朝。突然私は、彼女に起こされた。

「ねえムロイさん。あんたんちさあ、ゴキブリ出ない？」

「ヘッ、ゴキブリ⁇」

「最近、ひどいのよ。ぜったいにうちからゴキブリがわいてんじゃあないのよ。どうもね、上の方から飛んで来て、部屋に入って来るのよ」

「ああ、そうそう。そう言えば、私ん所へも外から飛んで来たことあったっけ……」

「あら、そう。ふーん、なるほど、やっぱりね。ムロイさん、ちょっと一緒に来てちょうだい」

彼女はそう言うと、まだねぼけ眼《まなこ》の私を、角の八号室の部屋の前へ引っぱって行った。

「ここよ、絶対にこの部屋。ちょっと待っててよ」

そう言うと、おばさんは、例のジャラジャラ鍵の束を持って来て、ノックなしでいきなり八号室の扉を開けた。

八号室は新宿にある運動ジムに勤務するマッサージ師さんの部屋なのだが、すでにマッサージ師さんは出掛けた後とみえ、そこには誰もいなかったので、私は内心ホッとした。

「見なさいよこの蒲団、万年床なのよ。ずーっと昔からこうだから、ほれっ、蒲団めくると、タタミに蒲団の跡《あと》がついてるでしょう。ほら、陽のあたるところはこんなに焼けてて、万年床の下はまだ青いでしょ。いやーねー、台所なんて見てごらん、目もあてられないわよ。なのにさぁ、幾ら言っても、返事ばっかりで何もやんないのよあの男。この部屋からゴキブリが私たちの方へ飛んで来てるにきまってんのよ。ムロイさん、この蒲団、今日こそ一緒に干しちゃおうね」

そして、私はこの日、授業にも出ず、日がな一日、おばさんと一緒に、マッサージ師さんの部屋を何故か掃除してしまったのだった。

今、思いおこせば、私もとても変な奴だったと思うが、その時の私は、「この部屋をほっといたら、いつかこのアパートから伝染病が出るにちがいない」という思いで一杯で、ついおばさんに同調してしまったのだ。

先のオートロックのマンション住いの女子大生には、とうてい信じられない話だと思うけど、私はこのおばさんや、この頃の自分の暮らしがとても好きだった。

オクラホマミキサー

先日遭遇した怖い話。

夜九時頃、私は友人と一緒に飲み屋のはしごの為、タクシーに乗っていた。車一台、やっと通れるぐらいの狭い道をノロノロ走っていたら、突然、自分たちの前方に、体の大きな男が、両手を大の字に広げて立ちふさがってきた。そう、まるで、映画『ヒッチャー』のトップシーンのルトガー・ハウアーみたいに。

と、言いたいところだけど、残念ながらこの男は少し違っていた。水色のうす汚れた上下のトレパンを着て、サンダルというより、もうスリッパに限りなく近いぐらい薄くなった物をつっかけて、その顔は日焼けと酒焼けで赤黒くなっていた。

仕方なく停止したタクシーの前で、男はフロントの鼻先まで、ぴっちり体をつけてきて、そのまま仁王立ちになり、全く動かない。

……数秒間の沈黙……が、やがて、ついに運転手さんが、チェッと舌打ちしながら窓を開け、「バカヤロー、コノヤロー、どきやがれってんだぁー!」と一喝した。……と、思いきや、なんと、この運転手さん、

「ねえ、あなた。そこを退《ど》いてくれる気はないの。あなたが退いてくれないとね、車、通れないから、お願いだから退いてくださいよ」

と、本当にまあ、とてもやさしい声で言った。すると、そのまるで子供に言い聞かせるみたいな話し方が余計、癇にさわったと言わんばかりに、男はいきなり横に回り込んで来て、窓に手をつっ込み、運転手さんの首を絞めた。

さすがに後部座席の私たちもこれにはあわて、「何やってんの運転手さん、窓閉めて、窓」

と、大声で叫んだ。万一、刃物でも持っていたら、なんて大いにありえると思ったのだ。

首を絞められながらも、運転手さんは窓のハンドルを回し、皆で中から、男の手を外に出そうと必死で押した。男はひどく抵抗したが、それでも手は首から離れ、窓が徐々に閉まるにつれて、腕も外に押し出されていった。

ところが、この男のひどい頑張りで、左の人差し指だけが、どうしても抜けない。いや抜こうとしないのだ。男は人差し指を窓ガラスにはさんだまま、今度は何やら喚《わめ》きながら、車のボディーにケリを入れてきた。

ここにきて初めて運転手さんは、

「お客さん、この人、酔ってるだけじゃなくて、シャブかなんかもやってるかもしれないですね。そうだとしたら、こりゃー危ない。すみませんけど、110番させてもらってもいいですかね」

と、私たちに承諾をとってから、会社に無線連絡した。

つくづくやさしく丁寧な運転手さんだったのだが、運悪く、この無線がひどい雑音で、会社に届かなかった。

ガックリ肩を落としてしまった運転手さんに私たちは、

「その角を曲がって一五〇メートル程行った所が駅だから、その駅の改札のまん前まで、とにかく行きましょうよ」

と励まし、やがて車は再び徐行し始めた。

車がソロリソロリ動き出せば、いくら何でも男だって指は抜くであろうと思っていたが、ちっともそんな気はないようで、男は動き出した車をなおいっそう罵倒しながら、一緒に寄りそって歩いていた。男の足元が千鳥足だったので、時々ツーステップみたいになったりして、なんだかタクシーと男はフォークダンスの『オクラホマミキサー』を踊っているような感じだった。

こうして、車は駅の改札のまん前に到着した。すると男は、ここぞとばかりに指を抜き、今度は車の回りをグルグル旋回し始めた。

私たちは、窓を細く開け、外の人々に、

「助けてェー、助けてェー、どなたか110番願いますぅー！」

と、必死にうったえかけた。

何故だろう。改札からは次から次へと人が出てくるのに、誰一人として「キャー」とも言わなければ、「大変だー」とも言わなかった。

それどころか、皆の視線はこの男の方よりも助けて助けてと叫んでいる私たちの方に「!?」と、注がれていた。中には、不思議そうに、タクシーの中を窓のすき間からのぞいてくる人もいた。

「お客さん、何だか大丈夫そうだから、ちょっと私、外に出てみます」

と、さすがの運転手さんも回りの雰囲気を気取《けど》り、そう言った。

「そんな、危ないですよ、何されるかわかったもんじゃない。あっ、ねえー」

私たちも一応ひきとめたのだが、運転手さんは勇敢にも車を降りて行ってしまった。

するとどうだ、運転手さんの全身の姿を改めて見て今度はこっちがびっくりした。

大きいのだ。とても。今までは運転席で、変におっとりしていたからわからなかったが、見事な体格の人なのだ。

運転手さんは頭一つ違う男に向かい、ゆっくり歩いて行き、見下ろして男の肩に手を掛けた。鬼のようだった男も、これ一発でうそみたいにシュンとしてしまったのである。

「どうでもいいけど運転手さん、これ私たちが払うんですかー!?」

一気にしらけて、最初に目が行ったのは、回りっぱなしのメーターだった。

ある中古マンションの話

板橋区の南の方の町にある、とあるマンションの話だ。

名を仮に「日の丸マンション」と呼ぼう。

日の丸マンションは築二十五年は軽くクリアーしている感じの五F建ての古いマンションだ。

ワンフロアに四軒、全部で二十世帯ある。

今でこそ、外見は黒ずんですすけており、エレベーターも、二度と扉が開かないのでは!? と脅えるくらい、のろまだが、おそらく二十数年前は、町でちょっとは目をひく、バリバリのマンションだったであろうと思う。

実は、私の友人のB夫妻が六年前に、このマンションの四Fの東南の角部屋の二DKを千五百万円で買った。

千五百万円にしては、住みごこちが良いと、夫妻はすこぶる喜んでおり、私たち悪友も、心おきなくマージャンのできる、全くきどりのないこの中古マンションが好きだった。

ところが、最近、ここで卓を囲むと決まって、上の部屋からものすごい音量のフランク永井の『君恋し』が聞こえてくる。最初は笑って「何じゃあれ??」などと皆言っていたが、さすがに何度となくリフレインされると、耳もいたくなってくる。レコードをかけている本人もそう長くは無理なようで、さすがにこれは何度目かに止む。が、今度は突然、ミカンの皮が飛んできたり、リンゴが飛んできたりし始め、さすがに鈍い私たちも、いささか気になって、

「私たちの雀の音に怒ってるんじゃない？」

と尋ねた。

が、B男は、

(東)「いいの、いいの。それより、最近よ、このマンションの六Fによ。タイの姉ちゃんが八人も住んでんだよなー。しかも超色っぽいの。ようし出た發《ハツ》ポン!!」

と、全く気にしてない風だ。

(南)「おお、🀑《リャンゾー》と🀓《スーソー》ポンしてよ、B男、お前リューイーソーかよー。危ねえ、何だよ六Fもここんちぐらいの広さ？」

(西)「まさか、ここに八人じゃあ、いくら何でもきついだろ、ほれリーチ！」

(北)「リーチ?? 何よぉー。……あれ、このマンション六Fなんてあったっけ。B男カンベン🀐《イーソー》サービス！」

(東)「ケッ、と……と……通し!! 六Fってよお、屋上なんだよ、屋上は皆の共有部分だから、俺なんかにも1/20の権利があるんだよ。その共有地の屋上にペントハウス風の建物が、まさに後で付け足しましたって感じで建ってるんだけど、勿論、違法建築なんだぜ……。違法のせいだろうけど住んでる奴がコロコロ変わって……で、今、タイの姉ちゃんたちが……おうきたきた……（🀗《パーソ》🀗《パーソ》🀑《リャンゾー》🀒《サンゾー》🀒《サンゾー》）えい勝負……

🀑《リャンゾー》　切り！」

(南)「はい、ロン、チャンタ、ドラニ、ケケケ」

B男「チクショー、頭くるぜえー」

(私)「何よ、1/20の権利者としてはおこってるってこと？」

B男「バカ！　リューイーソー……権利はいいんだけど……。ここによ、昔から住んでる主《ヌシ》みたいなババアがいて、ほら、上の『君恋し』。こいつが、どうしても許せないって、マンションの中で住民運動おこしてて、最近じゃあ、かなりヒステリーも限界にきてたなぁー……」

B男の話はこんなことだ。

二十数年前マンションが新築で売り出された時、『君恋し』は入居者第二号だったという。第一号は、一Fに住む坂上という男で、この男は管理人も兼ねて住んでいた。この坂上という男、見かけはとても腰の低いジェントルマンだが、その実かなりの悪党で、表向きは普通の管理人として、このマンションにいたが、なんと、一Fの自分の部屋で人目を忍んで工場を経営していた。ただ、工場といっても何かの部品を作っているだけの小規模のものだったし、騒音も、変なにおいも全くなかったので、しばらくは誰も工場の存在に気づかなかった。

ところが、ある日、『君恋し』が、各家の、水道料金の異常な高さに気がついた。マンションの水道メーターはたった一個で、それを二十等分して割り振るシステムになっていたのだ。このシステムそのものも変だが、その上に工場用の膨大な水道料金まで皆で知らず知らず負担していた訳だから、『君恋し』がカッとなるのも無理はない。他にも坂上は、自転車置場を自分の駐車場にしていたり、色々せこく悪業を重ね、ある日ドロンしてしまった。その後坂上は、工場の部屋を賃貸で人に貸し、その部屋の権利のある内に、秘かに屋上にペントハウスを建て、何と、それを誰かに売り、さらに一Fの部屋も売って、マンションと完全に切れてしまったのだった。

さて、このペントハウスに住む人たちは、『君恋し』から、この違法建築物の話を聞くと、また、次の誰かに売り、また、次の買手も、また次の誰かに……という具合に次から次へと流れつづけているという現状だ。

そして今、『君恋し』が最もいやがる素姓の知れないタイのお姉ちゃんたちが合宿していて、『君恋し』の困惑もピークに達しているということらしい。

「こないだよー、『君恋し』が、屋上にゴミを散らすな、屋上は皆のものだっていうタテカンを屋上に立てに行ったら、ペントハウスから池袋に住むヤッチャンが出て来て、『自分は池袋でアルミサッシ工場をやっていて、この娘たちはそこの女子工員たちで、決してホテトルとか売春とかっていうんじゃないから。違法か何かはしらねえけど、俺は俺の金で、ここを買ったんだから文句あんめえ！』って啖呵《たんか》切っちゃったんだよ。確かにヤッチャンの言うことには一理あるし、どうやら、あのペントハウスも、初めて持主が落ちつくきざしを見せたってわけだよ。

　こうなると、『君恋し』は長い歴史の中うやむやにされてきた、むかつきをどう処理していいかわからず、そいでもって俺んちにミカンの皮が飛んで来るってわけさ。てなわけで、気にせず、大っきい気持ちで、もう半チャン行こうぜぇ——！」

腐っても鯛

「クル～ウルウル……ガキッ」「あれ?!」

「クル～ウルウル……カチッ」「ちょっとぉ」

「クル～ウル……パチッ」「待ってよ」

「クル～プチン」「そんなぁ」

「プチ」「……」

車が動かない。私の車がまた動かなくなった。しかも、よりによって、「さあ、箱根の温泉にレッツゴーだわさ!!」と、叫んだ直後だ。

不幸中の幸いで、まだ自分家《ち》の車庫だったからよかったけど……。

それにしても、キーを差し込んでも、ウンともスンとも言わない。昨日はあんなに快調だったのに、お前一体どうしたってての、このザマは、ええ!?……と同乗者の皆さんの手前、ヒステリックに詰問して、再びキーを回すが、「プッ」……「プッ」としか答えてくれなくなってしまった。

思い起こせば三年前。初めてこの車を見た時は、スゲーッ、カッチョエエー、という言葉が自然に口をついて出たものだった。

ベンツ280S、オレンジ色。全長五メートル。

友人のSさんが、自分のベンツを修理に出していて、その代車としてこれに乗り、それでうちに遊びにやって来たのだ。

「滋チャン。これ、いいだろ。とっても馬力あるし運転しやすいし、乗りごこち最高だよ。せっかく免許取ったんだし、これ買わない？」

「えー。だって左ハンドルでしょ。教習所右だったからさぁ。最初っから左ってえのはね」

「大丈夫だよ。すぐに慣れるよ。それに今だって特に右に慣れてるってわけじゃないだろ」

「うん。……でもこれ、高いんでしょ。私……」

「百万だって」

「百万?!」

「十八年落ちだからさあ」

「え〜〜、そんなに古くて大丈夫」

「サイドの窓のゴムがもうボロボロだから雨もりするけど、それ直せば、エンジンはしっかりしたもんだしバンバンだよ。まあ、腐っても鯛ってとこかなあ」

「腐っても鯛ねえ。フーン。ちなみにSさんの白いベンツはいくらだったの」

「俺のも腐っても鯛だから、五十万」

「やったー勝ったー。よし買った、腐ってもベンツ」

十八年落ちの車という物が、どんな代物なのか、全く知るよしもなく、こうして私は、百万プラス少しの修繕費で、翌日この車を買ったのだった。

さて、やって来て約一カ月間、私とこの鯛君は何事もなく円満に新婚生活を送った。Sさんが言うように、左ハンドルにはすぐに慣れたし、本当にとても乗りごこちが良かった。

おまけに、オレンジ色の車体に貼りつけてある初心者マーク🔰は、かなり人の気持ちを揺さぶるらしく、あらゆる車が鯛君を大きくさけて通り過ぎてくれたので、私は初心者が感じる恐怖を全く味わわずにすんだ。

そして、そんなある日なのだ。

友人たちと鯛君に乗って温泉へ行くことになった。渋谷に午後二時集合の約束をしたので、この日初めて、私は午前中入っていた仕事場に車で乗りつけた。

あるスタジオの駐車場に入り、鍵をかけて離れようとした時、私は鯛君の異常に気がついた。ボンネットからものすごい勢いで湯気が噴き出しているではないか。エンジンはとっくに切って、鍵だって抜いているのに一体どうなっちゃったんだ。一分程、じーっと鯛君の様子を窺《うかが》っていたが、依然衰えぬ蒸気が、終《しま》いには怖くなって、私はその場から逃げ出してしまった。

「助けてー、車が爆発するー!!」

と、叫びながらスタジオへ入って行ったら、俳優の柄本明さんが、何、爆発!?　と、目を輝かせて一緒に駐車場へ降りてくれた。

「ラジエーターに、水が無くなっただけだよ」

柄本さんは、そう言って鯛君に水をあげてくれたが、どうも鯛君の体には穴があいているらしく、ポタリポタリ下の方に水がしたたり落ちてきた。

午後から温泉に行くけど、どうしよう、と柄本さんに尋ねたが、爆発しない車にはもう興味が無くなったらしく、柄本さんはとっととメイク室の方へ去って行った。

かくして、車に無知な私と四人の友人は、スタンドに行って、応急処置で穴を小さくする液体粘土のような物を入れてもらい、セブン‐イレブンで「六甲の水」を買い、長野の温泉に向けて出発した。

P印が見えるたびに、「あったー!」と皆で叫び、急いで鯛君を止めて傷口を見てやり、六甲の水を飲ませた。彼の飲み方と言ったら、とても豪快で馬並だったが、しかしよく飲みその分何事もなくよく走ってくれた。ちなみにこの時が私の初めての高速走行だった。

この温泉をかわきりに、鯛君は時々いろんな所で具合が悪くなった。クーラーのファンベルトが切れて止まったり、バッテリーがあがって止まったり、一つ直すと、また一つ悪くなって、よく道端でプッツンしてくれた。が、不思議なことに、かならずといっていい程プッツンする場所をわきまえてくれるのだ。

ある時は、ガソリンスタンドの中で、またある時は料金不要の公共物の駐車場、すごいのになると、JAFの車が停車している目の前だったこともある。意外なところで、「腐っても鯛」の操をたててくれるので、私としては、もう捨ててしまいたいと思う反面、いよいよ無下《むげ》には捨てられなくなってしまっている。

前出のSさんの白い鯛の方は、もうそろそろ床が抜けるかもしれないから、次の車検は無理だと車屋から宣告されているという。それでもSさんは、床が抜けても天井がこそげても、生涯一車主義でゆくと、硬い表情で語っていた。

今どき珍しい人と車の美しい関係だとつくづく思うのだが、さて、私は……。いやいや私とてお前を捨てるもんか……チクショー。

隣りの女

親戚のオバさんN子が今日も怒っている。

「ごめんねぇ遅れて、出際にとんでもない目に遭っちゃってさあ」

約束の時間から約三十分後、ムッちゃん顔になっていた私に、彼女は息せき切って話し始めた。

「さて、出掛けようと思って家の前に出たら、バカでかいアメ車が、車庫の前に横づけになっちゃってて、車出せないわけよ。仕方ないから、しばらくつっ立ってて車の持ち主待ってたんだけど、誰も来ないのよ。アメ車はうちの方に2|3、隣の家の方に1|3の割合で置かれてたから、ひょっとして、お隣りんちのお客さんのかもと思って尋ねてみたの。ピンポーンて鳴らしたら、ネチョッとした女の声で、『どなた〜』って言うのよ。『家の前の車はお宅のですか』って聞いたら、『さようでございますけど』ってすまして

言うの。驚いちゃうでしょ！」

「うん。それって結構いい心臓だね。それで？」

「それがさー、ひどいの何のって、『お宅の車のお蔭で、うちの車が出せなくて、出掛けられないんですよね』って言ったら、『へえー、さいですかー』ってケロッとしてんのよ。頭にきちゃって、『あのね、約束の時間に遅れてるんですよ。早いところ車どかしてくださいな』って言ったら、この女、何て言ったと思う。『はあ、でも私、今お化粧の途中でとても表に出られる状態じゃないんですのー』って……こうよ。ひどいでしょ。『お化粧の途中でとても……』……」

N子はかなり頭にきたらしく隣りの女のセリフを何度も何度も繰り返し、そして繰り返すたびにモーレツに怒っていた。

「ねえ、その女って隣りの奥さんなの？」

私がN子のリフレインを割って入って尋ねると、今度はいきなり、

「けひゃひゃひゃ……それが聞いてよ、アハハハ……」

と、何を思ったか、N子は馬鹿笑いを始めた。

N子の話によると、この化粧女は多分隣りの奥さんだと思うが、口をきくのも今日は

じめてだし、まじまじと傍でしっかり顔もまだ見たこともないという。

学生のアパートやマンションならいざしらず、昔からある古い住宅街で、隣りの奥さんの顔も知らないなんて、そりゃないだろうと言うと、N子はこう言った。

「違うの違うの、新しいの、御新規さんなのよー、その奥さん。御新規さんでやってきても、隣り近所には挨拶しないし、玄関先で見掛けて、こっちが頭下げても、むこうは軽いエシャクも無しなのよー。まあね、あのドブ板社長にはぴったんこの人かもしれないけど……」

「何よ、ドブイタ社長って？」

「隣りの御主人のことよ。鉄工所かなんかで一発あてたハゲおやじなんだけど。こいつがまた、すこぶるいやな奴でねェ」

「ふ〜ん、ドブイタ社長ねェ」

「ドブイタ社長ってアダ名つけたの初代の奥さんなんだけどさあ、私、彼女とは割と気が合ってて……。社長は暗くジメッとしたインケンな奴だけど、それに比べて初代の奥さんはまるで太陽のように明るい人だったわねえ。そう、あれはもう八年ぐらい前になるかなー」

八年前の夏、N子は不眠症で悩んでいたという。

理由は、N子自身の体や精神の調子ではなく、隣りからの夜な夜なの騒音だった。隣りの庭にあるクーラーのクーリングタワーがものすごい音を出すのだった。しかもそのタワーはN子宅とのほぼ境界線あたりに建っていて、角度的にも、ちょうどその音はN子の寝室めがけて流れる形になっていた。それでもN子は夏が終わればと思い、耳センをしたりして長い間我慢していたのだが、ある日ついに耐えきれず、このドブイタ社長に抗議に行った。

ところがこの社長、「うちの敷地内に建ってる物を、人にとやかく言われるスジアイはない」と、あやまるどころか、全く聞く耳持たずという態度だったという。

あまりの言い草にN子もひどく腹が立ち、ただでさえ眠れぬ目が、ますます血走ったそうだが、そんな時、N子に区役所の公害課の電話番号をささやく人物が出てきたのだ。驚くべからんや、これが何と、隣りの初代の奥さんだった。

「私はどうせ、もう、夕焼けこやけ。もう少しであの家出て行くんだから、たとえあの家が火事になったって、どってことないの、いい気味よ」

初代はそう言うと、自ら区役所の公害課に電話して「うちのクーリングタワーは本当にひどい。ものすごい騒音よ。あれじゃあ、どんなに疲れて眠くても、眠れるもんじゃないわよ。一刻もはやくうちのドブイタ社長宛に強制執行、改善命令を出してちょうだい。早くしないと、お隣りに病人が出るわよ」と、アピールしてくれた。

それから数日後、区役所の調査員がやって来て、クーリングタワーは、N子宅とは反対側の庭先に建てかえられた。ようやく、N子の寝室は静かになり、やれやれだったが、今度は反対側の家から苦情が出てしまった。が、それも再び初代のチクリで片がつき、最終的に、タワーはドブイタ社長の寝室の窓際にめでたく移動とあいなったそうだ。

さて、そしてこのタワーが落ちついた頃、初代は十年の結婚生活に終止符を打ち、この家から出奔《しゅっぽん》したのだった。

やがて時がたち、ドブイタ社長の家に、金パツ頭にそめた水商売風の第二の嫁さんがやってきた。が、それも、ドブイタ社長が『新婚旅行は世界一周じゃあ』という約束を三カ国にけちったため、帰国後数週間で、もめにもめて、あっという間に離婚になったという。

「どうせほら、今度の化粧の奥さんだって、長かあないわよ。まあ、そんな訳で、私は挨拶なんていいから、車さえ動かしてくれりゃあねぇ。ああ、それにしても最初の奥さんがなつかしい。本当に太陽のように明るい人だったのに……。ドブイタ社長も、女見る目がないわよね」

N子の遅刻話はここで一段落したのだった。

父の教え

あれは大学二年の春のことだ。

田舎から私の下宿に遊びに来ていた父が、三、四日ほどプラプラして、もうそろそろ帰ると言った。

「さて、父さんはもう帰るけど、お前、大丈夫だな。あんまり毎晩、コンパだなんだっていって、いい気になってフラフラしてちゃいかんぞ。東京はお前が考えてるほど、甘い所じゃないからな。奥の方へ行きゃあ、やっぱり怖い所なんだから、気をつけないと」

私は東京のどの辺が奥の方で怖い所なのかちっともわからなかったが、このフレーズは父が帰る時のお決まりのセリフなので、口答えはせず、ただコクリコクリ頷いて聞いていた。

「万一、誰かがお前に暴力で何かしようとしたら、その時はお前、全力で自分を守らにゃいかん。その際に、相手がどんなひどいケガを負おうとも、それはかまわん。俺が許す。いいか。よし、じゃあ一つだけ守りの型を教えてやる。まず、腕組みして自分の胸を守り、相手のキンタマめがけて大きくキックだ。これで、たいがいの男は倒れる。わかったか。わかったなら、ちょっとお前、型をやってみろや」

父はけっこう放任主義で、私の行動に対しても、あまりあれこれうるさく言う人ではなかった。が、年頃の一人娘の貞操が悲劇的に傷つくのだけはどうしても避けさせたかったらしく、父は上京の度ごとに、私にタマケリの練習をさせるのだった。そして、私が素直に練習に応じさえすれば、父は安心し、機嫌よく帰って行くので、私の方も、タマの親孝行だと思い、かけ声をかけたりなんかしながら型をとるのだった。

さて、その日も、いつものようにキックの型をやってから、私は父を送って早稲田通りに出た。

早稲田通りには、古本屋がズラリ並んでおり、高田馬場駅への道すがら、ブラブラ古本を見て回るのが、これまた父が帰る時のお決まりのパターンになっていた。

数軒覗いてから、ある店に入り、父と私は中央にデンと店を仕切るくらいの大きな本棚の表と裏側で、しばし互いに立ち読みを始めた。

私は棚の中から『ガロ』のバックナンバーを取り出し、けっこう集中して読んでいた。

どのくらいたった頃だったろうか。

誰かがふいに私のお尻を撫でた!?ような気がした。

が、店がとても狭かったので、擦れ違いざまに人の手がちょっと触れたのかも、と、思い直し、私は再び本に気持ちを向けた。

すると数秒後、今度はもっとあからさまに、私のお尻のまわりでモゾモゾと手が動き出した。

「痴漢だ!」

ハッとして振り返ると、そこには黒ブチメガネの学生風の男が立っていた。

男とまともに顔をつき合わせてしまった私は、反射的に駆け出し、本棚の向こうにいる父のそばに逃げ込んだ。そして、「父さん痴漢だよ」と息急《いきせ》き切って父に告げた。

……いや、言いかけそうに思わずなったのだけれど、勿論やめた。何故って、それは父が半狂乱になって黒ブチメガネをぶちのめす図と、「シゲル、チャンスだ。今こそタマケリを入れてみろ」と、せかす図が、交互に私の頭の中でフラッシュバックしたからだ。

どっちに転んでも、大騒ぎになり、父の滞在もあと二日は延びてしまうだろう。ということは、まだ二日も私はどこへも遊びに行けなくなるということだ。

私は、ただただ、痴漢が再び私ににじり寄って来ないことを願って、無言のまま息をこらして、父の横で本を見つめていた。

はたして数分後、こりない痴漢はやっぱりやって来て、私の背後から、チビリチビリ襲撃を再開した。

それにしても、古本屋の痴漢というのは、どういうんだろう。満員電車や、真っ暗な映画館の中というのならわかりやすいが、古本屋というのはねぇ……?? もし私が痴漢なら、番台に四六時中おやじのいる、こんな場所は絶対に選ばない。第一、エッチなことをするより、エッチな古本を探した方がたやすいし、得るものだって多い気がするのだが。

さて、男の行為に対し、私の方はかなり我慢し続けた。何度となくギャーッと叫びかけたが、そのたびに、男の血みどろになりのたうつ様が、ますます鮮明に頭に浮かぶので、「まずい!」と思い、声をのんだ。しかしながらやっぱり我慢も限度というものがあり、せめてもの反発の意思表示として、男の手がふれるたびにゴホゴホ、ゲッホンとせきこんでみせた。

すると、そんな私に父が、

「どうした、カゼひいたか?」

と、まんまと話しかけてきてくれた。

これで黒ブチメガネに、横にいるのが父親だというのが伝わっただろうと、私は父の言葉に胸をなでおろした。そして、

「ううん、大丈夫だよお父さん」

などと、ゆとりで答えたのだった。

さて、ホッと息をついたのもつかの間、なんとこの男、何を勘違いしたのか、前にもまして一段と調子づき、次に自分の下半身をグニュ、と、押しつけてきた。

さすがの私もこれには、堪忍袋の緒が切れて、思わず両ヒールのかかとで男の足の上に乗り、思い切り踏みつけて、二、三度その場で足踏みもした。

男はうめき声も出せぬまま、その場にしゃがみ込み一瞬じっとうずくまっていたが、その後、ヒザではうようにして店を出て行ったのだった。

「あんまり距離がなく、相手が後ろからせめてきた時は、タマケリより、ねらうのはや

っぱり足だよね」

と、私は父に言いたい気分だったが、それもやっぱり言わずにおいた。

やがて店を出て、何も知らない父は、

「前から欲しかったのが見つかったよ。やっぱり古本屋も奥の方までじっくりみるといいねえ」

と、上機嫌で帰って行った。

父はそれから二年後に他界してしまって、あの日のことは、今となってはとても懐かしい思い出だ。

ごはん物語

私は「ごはん」が大好きだ。

今は亡き私の祖母も大のごはん好きだった。祖母は、とても静かなやさしい人だったけれど、八十七歳の誕生日頃からボケが始まり、それ以来毎日、それはそれは悲しいほどたくさんのごはんを食べ続けた。

「あれ？　ごはんまだだっけ」と言って、日に何度も食事してしまうのは、かなりポピュラーなボケの初期症状らしく、私は以前テレビを観ていて、次のような話も聞いた事がある。

「それではここで、あなた御自身が少しボケ始めているかどうかを、簡単にテストしてみましょう。よろしいですか、よく聞いてくださいよ。まず、今日のお昼ごはん、自分が何を食べたか、思い出してみてください。……。さて、いかがですかー。考えてもなかなかすぐに思い出せなかった方！……（笑）。はい、御安心ください。それはただのもの忘れ。今日のお昼、自分がごはんを食べたかどうか、それ自体を忘れてしまっていた方、それがボケの始まりです。注意信号の方は、もう一度、御自分の生活点検をして、頭と体をリフレッシュすることを心掛けてくださいね」

画面の中のお医者さんにテストされて、何を食べたか思い出せなかった私は、この時死ぬ程ドキドキしてしまったのだが、それでも、このボケ診断がとても明確な事に感動して、思わず「うーん」とうなり声をあげたものだった。

私の祖母はまさにこれで、食べても食べても、食べたのを忘れてしまい、一日中、「ごはん、ごはん」とごはんを連呼して訴えていた。

私は高校の頃、こんな祖母と二人で暮らす時間がとても長い間あった。だから、頼みの祖母がボケてしまうのは、私にとってきわめて重要なことだったので、祖母のボケ防止にとても必死になっていた。

「おばあちゃん、ごはん食べたら、こうやって指に赤糸巻くからね。赤糸巻いてあったらそれは、ごはん終わりーの印ながいちゃ」

私は食後、私自身の小指と祖母の小指両方に、赤糸をぐるぐる巻きつけて、祖母に納得させようとした。もしかしたら、ビジュアルで記憶させることができるかもしれない、と思っての試みだった。

最初のうちは、祖母も自分の小指をながめながらニコニコ笑って、「うん、うん」と、おとなしく頷いていた。が、しかし、日がたつにつれて、次第に赤糸のききめも薄らいできてしまった。

指中赤糸だらけにしても、祖母は自分にごはんを食べさせないと、毎日オイオイ泣くようになった。

祖母の頭や体は、もうすっかり壊れてしまったんだと思ったけれど、その心までは決して壊れるはずはなく、この祖母は私に冷たくされていると思い込んで本気で泣いているんだと思うと、私はいつも胸がはり裂けそうに悲しかった。

祖母のボケは、その後日一日とひどくなり、私が高校から帰ると、毎日、十五人分の蒲団が敷きつめられ、十五人分の食事の支度がしてあるようになった。

一体、誰の分なのかと問い詰めると、祖母はあたり前のことを聞くなといった態度で、昔のお姑さんや小姑らしき人々の名前をあげつらねるのだった。

すっかり諦めはじめた私が、輪ゴム入りのオムレツを少し舐めて、おいしいよ、と言うとそんな時には祖母は珍しく、これも食べろと、自分のウメボシ入りのオムレツを私にくれたりした。

やがて、私が大学に進学し、東京に出てきた年、祖母は町の老人病院に入った。

そして、さらにそれから六年後、祖母はその病院で一人死んでいった。

すっかり子供に逆もどりして、少女の気持ちのまま死んでいった。


今、時々、私がそんな祖母のことを思い出すのは、決まってごはんを鱈腹《たらふく》食べ過ぎてしまった時だ。お腹がくちくなって、ついうとうとした私の夢の中で、祖母そっくりの私がおひつをかかえ込んで、ごはんをかっくらっている。そしてそれを横で、今の私が泣きながら叱っているという図なのだが、面白いのが、この夢から目覚めると、私はいつも腹ペコなのだ。食べて寝たのだから、そりゃないぜと思うのだが、事実ひどく腹ペコになっている。

とても不思議なので、そんな時、私は、「ああ、またおばあちゃんが食べていった」と、まだぼんやりした頭で思うことにしている。

あとがき

まだ学生の頃、近所に下宿していた男の子が、真夜中に、私の部屋のドアをノックして、

「遅くにごめん、実は俺、明日デートなんだけどさあ、ジーパンに穴があいてて……」

と、言った。

私は、もうすでに寝ていたのだけれども、その男の子のせっぱつまった顔色に同情して、

「何時だと思ってんのよ、全く！」

とは言いながらも、繕《つくろ》い物を引き受けてしまった。

ゴワゴワしたジーパンの穴を繕い始めて、まだ二分とたたない時だ。

ちょっとした事故が起きた。

針を持つのにそう慣れていなかったせいもあるし、まだ寝ボケ半分だったせいもあっ

た。堅い生地にはじけて、針の先二、三ミリが、折れて、飛んだ。

そして私の目の中に入ったのだ。

私は「うっ」という短い叫び声を発したまま、しばらく完全に石のようになって固まった。

「どうしたの、シゲル、どうした？」

「おい、おいってばー」

男の子の声が、次第に私の耳元に近づいてきて、私もハッと我に返った。

「……あのさぁ……目にね……今、……針……針が入ったんだよね」

自分でもびっくりするくらいに低く乾いた声だった。

「針って!?……針って何」

「だから針よ。今、使ってたやつ」

「え!!……あれ、だって手に持ってるよ……」

「折れたのよ。先っちょが。よく見てごらん」

私は右手に、折れた針を持ち、左手で針が飛び込んできた左目のマブタを上下に開いていた。

左目がまばたき出来ぬよう、バッチリ固定させ、その目玉はずっと、一点をみつめたままだった。

そんな状態の私から、折れた針を手渡された男の子の声は、さすがに少しずつ、うわずりはじめた。

「ど、どうすんだよー、針って、血管の中、入ったら体中それがまわって死ぬんだろう。救……救急車呼ぼうか」

「止めてよ、こんな夜中に、何やってんだって思われるでしょ」

「そんなこと言ったって……じゃあどうするんだよー」

「もうー、どうする、どうするって、私に聞かないでよ」

「じゃあ、呼ぶぞ救急車」

「あっ、馬鹿、馬鹿、馬鹿、だめよー、私、ちょっとでも動いたら、針がまわっちゃうもん」

「まわるって、今、目のどの辺なんだい」

「わかんない。目の中にあるのは確かなんだけど、自分じゃ見えないもんね、そう。見えないの……ねえ、見て、……、ああ、へへへ……やっぱり来ないで……キッ、エヘッエヘッエヘッ」

「何だよ、何がおかしいんだよ」

「だって、ちょっと変よね、私の今のこの格好と、オロオロしてるあなたって。へへへ……へへ……馬鹿、……何よ、一体何時だと思ってんのよ……何で私があんたのデートのためにジーパン縫ってこんなめに……（泣く）」

さて、怒って、笑って、泣いた末、何のことはない、やがて針の先は、涙と共に私の頬に流れ落ちてきたのだった。

そして結局、私はその夜、ジーパンの穴をふさぎきらぬ内に、男の子に帰ってもらった。

翌日、彼がそれをはいてデートに行ったか否かは、結局その後何も聞かなかった。


私の暮らしの中で、例えばこんなふうな事件がしばしば起こる。それは、私自身悩んでやせてしまうといった類《たぐい》の事件では決してない。が、また、それはそれと同じことが、すぐ隣りの誰かさんの所でも、いつも起こっていると思えるものでもない。

つまり、丁度私にあっている、というか、それは私ゆえに起こる私の事件……というのだろうか、私が知らず知らずに呼びよせている事件というのだろうか……。まあとにかく、それは私にとって確かにむかつきはするけれど、『日々この位の事がなきゃあやっぱ退屈で、この位ならいつでもＯＫ』と心の中で容認していることなのだ。

今回、こうして文章を書くことでふりかえってみて、そのことが、よりいっそうわかって、とても面白かった。

なお、今回、この本を出すにあたり、マガジンハウスの皆さん、楽しい絵を描いて下さった日比野克彦さん、他、雑誌でお世話になった皆さん、本当にどうもありがとう。

一九九一年六月　　室井　滋

さらに、あとがき

一九九一年の六月に、初めてのエッセイ集『むかつくぜ！』を出してから十年が経った。

文庫本として生まれかわるため、改めて読み返し、少し直しも入れたが、何とも憂鬱《ゆううつ》になった。懐かしくはあったが、たいていは「ああ、二度とあんな目に遭いたくないや〜」と何だか胸苦しくなってしまったのだ。

では、この十年で私の生活はそんなにトラブルが減り、快適になったのかと自分自身に問うてみた。

……残念ながら、答えは「ノー」だった。

私ときたら、相変わらずタクシーに乗って、いろんな運転手さんと妙な会話をしているし、オカルトチックな現象が時々起きる事もある。温泉に行けばハプニングだらけだし、変テコな友達もさらに増え、突然やっかいな事に巻き込まれたりもして、あちこちでむかつきまくっている。

つまり、あんまり変わってないからこそ、ガックリ、ウンザリなのかもしれないのだ。そう、変わった事といやぁ、前ほど痴漢にあわなくなったのと、やられたらやり返すパワーがアップした事かも……。これ、ひょっとして、ハッキリ「おばさん化」してるだけって事!?

確かにそうだ。恥ずかしながら、私はこの十年でとっても図太くなったに違いない。「じゃあ、昔ぐらいのトラブルなんて、今ならチョチョイのチョイ、余裕で撃退なんじゃないの?」と、また誰かの声が聞こえてきそうだが……。これが、そうじゃあない。やっぱり嫌なのだ。

一つ一つ乗り越えてきた「むかつき」に、また会いたくもなく、「ヒヤリ」としたあの場にもう戻りたくはない。

「ロック・ロック・ロック??」の感覚が助長され、あれから私は玄関に三つも鍵を付けるようになったし、「腐っても鯛」のボロベンツ280Sは何十回も修理して今も乗っている。多分、このまま行けばクラシックカーとして、日の目を見る日だって来るかもしれぬ。ゴミ出しで文句を言われるのではなく、自ら近所に怒鳴り込めるようにもなった。

「私、マイナスを必死でプラスに転化させてきたの。だから、もうむかつかなくってもいいはずなのよ！」……なんて、少しぐらい言ってみたいのだ。

でも、でも、でも……。本当のところは、今もガタピシボロボロで、大汗かいて、毎日ドタバタ走り回っているというのが実状で……、まったくもって、トホホなのである。

それにしても十数年前、私は女優としてちゃんとやれるかどうかが不安で、またアルバイト生活に戻るのが怖くって、雑文を書き始めた。

あれから女優業の方は少しは安定したかもしれないが、それでも依然として恐怖心は消えない。いや、リストラバンバンのこんな時代、今の方がさらに恐怖は強いのかも。

では、自分は昔と同じ理由で書き続けているのかというと、それがそうではなくなっていると思う。

私をずっと応援し続けて、テレビを見て下さったり、本を読んで下さっている皆さんに、自分のちっぽけな日常のささやかな可笑しさを、伝え続けたくなってきたのだ。

だから、私の書くものはエッセイというよりも、皆さんへの「手紙」なのです。

今後も「手紙」は出し続けようと思うので、どうか時々、封を開けて読んで笑ってやって下さいね。

さて、最後に……。

マガジンハウスの石崎さん、遠藤さん、若くして天国に行ってしまった、高木さんにガサ子さん。さらには、事務所のふぐママやタミちゃん、マッちゃん、文藝春秋出版局の平尾さんや文春文庫の庄野さん、出版局の藤田さんや皆さん。いつも素敵な絵を描いて下さる日比野克彦さんと、いつも励まして下さる宮部みゆきさん。そして、ひょんな所で出会ってしまった登場人物の「あなた」に、心から感謝し、「ありがとう」なのであります。

二〇〇一年七月

室井　滋

解　説

宮部みゆき

室井滋さんは、〝ジコ〟の多い人です。

どんな〝ジコ〟かというと、ひとつは、いわゆる〝事故〟。ただ、漢字であてると剣《けん》呑《のん》に過ぎてしまう。印象としては〝ハプニング〟の方がふさわしいかな。でもそれだと軽くなりすぎてしまうので、〝アクシデント〟の方がいいかな。で、言葉の後ろに(笑)をくっつける。うーん、もどかしい。本書にも豊富に実例が挙がっていますから、ワンエピソードでも、読んでみれば一目瞭然。ね？　つまり、こういう出来事なんですよ。こういう事象が、ポコポコ発生するんです。

ただ、室井さんの周囲で発生するこれらの愉快なアクシデントについて、そのままそっくり第三者に語って伝えるのは、とてもとても難しい作業なのです。わたしはこれまでに何度か、室井さんと旅行したり、陶芸にチャレンジしたり、ご飯を食べたりカラオケをしたりと、楽しい時間を一緒に過ごしたのですが、ひとつのイベントにつき最低ひとつは、この種のアクシデント㊅が発生しました。それはもう見事なまでにきっちりと、「あら、まあ、どうして?」というような出来事が起こるのですよ。そのたびに胃がひっくり返りそうなほど笑い転げて、わたしなんぞは、

「あるヒトびとの人生においては、小説よりも事実の方がゼッタイ的に奇である!」

ということを痛感するわけです。で、喜び勇んで、さあ、この話を誰かに聞かせてあげようとワクワクしちゃうのですが——

わたしがしゃべると、全然面白くない。

再現が上手くいかないのです。

原因として真っ先に考えられるのは、誰かに話そうと思った瞬間に、あまりにも面白可笑しかった記憶に引きずられて思い出し笑いをしてしまうので、ちゃんとしゃべることができない、ということ。よくありますよね?

「そうなの、ところがそのあとがまたタイヘンでさ——」

なぁんて言いつつ、本人がイヒヒあははと笑っているので、聞き手の方は話の脈絡がつかめなくて何が何だかわからない、というシーン。室井さん発アクシデント㊅につい

て語ろうとすると、わたしはいつもこの傍迷惑《はた》な状態に陥ってしまって、ただ周囲を困惑させるだけ。

「昨日は室井さんと出かけたんですよね。どうでしたか？」

「それがね、例によってまたとんでもないことが――アハ、アハ、アハハ」

という具合ですから、たとえば、かなり辛抱強いはずのわたしの担当編集諸氏も、

「つまり、とても楽しかったということですね。良かったですね」

というふうにきれいにまとめて、それ以上は尋ねなくなってしまいました。一人笑いして楽しんでるヒトの相手なんて、誰だって嫌ですもんね。

これはわたしに限ったことではなくて、室井さんと一緒にアクシデント㊛を体験し、その思い出を共有しているヒトたちは、たいてい、わたしと同じように、この「伝えたいけど上手く伝えられなくて自分だけ楽しんじゃう」状態に陥っています。で、そのもどかしさに、足の裏を蚊に刺されたみたいにイライラもじもじしているものだから、そういう者同士が別の場所でたまたま顔を合わせたりすると、

「あ、このあいだはどうも」

「こちらこそ。面白かったですねえ」

「ねえ、もうあれからも思い出し笑いばっかりで」

という会話が始まり、どちらかが何かひとつ、そのアクシデント(笑)を象徴するキーワードを口に出したりしようものなら、あっというまにフラッシュバックでまた爆笑！

という事態になってしまうのです。

それらのキーワードは、言葉として取り出してみれば何ということもありません。

「車の横転」とか、

「おみくじ」とか、

「公衆電話」とか、

「タキシード」とか。異なものとしては、最近では「ブタの丸焼き」というのがありまして、今現在、わたしはこの単語を耳にすると、いきなり吹き出してしまうという奇病にかかっています。

もう絶対の自信を持って断言するのですが、室井さん印のこれらのアクシデント(笑)の面白さ、可笑しさ、ちらっとのぞく人間の哀しさや、お節介の業《ごう》や、ちょっぴりの邪悪さを、正確にそして楽しく、臨場感たっぷりに再現し、言葉に置き換えて伝えることができるのは、この世でただ一人、室井滋さん本人しかいません。だから、室井さんの本は、他の誰にも書くことができない本なのです。

面白い経験をするとか、面白い出来事を招いてしまうというだけならば、広い世間には、けっこうそういう資質を持つヒトがいると思うのですよ。話し上手のヒトも、大勢いることでしょう。室井さんの場合は、そのどちらでもあって、そのどちらの集合にも属さない、いわば余りの部分が独特で、そこに他人の言葉の介入する隙がないんですね。わたしは小説を書くことを仕事にしていて、言葉は道具であり素材でもありますから、何とかして室井さんの招き寄せる出来事の面白さを自分の言葉に変換したいと、何度かチャレンジしたのですけれど、ことごとく敗北。ダメでした。室井さんが語る以上には、室井さんが書く以上には、絶対にならない。肩を並べることさえできません。

どうして？

それを解く鍵が、もうひとつの〝ジコ〟です。室井さんには〝ジコ〟が多い。

自己が多い。

室井滋さんは、たくさんの「自分」を持っているヒトです。女優さんなんだから、たくさんの顔を持っているのは当然じゃないかと思われるかもしれませんが、そういう意味ではないんです。何というか――大黒柱みたいにがっちりと太く確立された自己をどすんと持っているというのではなくて、ひとつひとつは小さな柱なのだけれど、どれも真っ直ぐで、それぞれに独特の節目とか色があって、それがみんなより合わさって、「室井滋」という一人のヒトを形作っている——という感じ、と言えばいいかもしれません。

室井さんの心のなかに集まっているそれらの「自己」は、いつでも仲良く協力しあってる。でも、必要以上に互いに影響を与えあうことはないし、干渉もしない。あるときある「自己」がすごく笑っていても、怒っていても、悲しんでいても、別の「自己」はそういう感情に揺れ動いている部分からは離れて、静かにしてる。ただ、静かだけれどけっして冷めているのではなくて、いろいろな感情に翻弄されている「自己」を、優しく温かく見つめているのです。もちろん、必要とあらば、ちょっとツッこんだりする時もあるけれど。

心のバランスの良いヒト——という言い方は平凡だけど、そう表現するしかないかなと思います。だから、自分で投げたボールを、いつでもきちんと自分で受けることができる。こんな形でたくさんの「自己」を持つことができるヒトって、そうはいないと思います。

たとえば、本書の「泣きゃー世の中渡れると思っとる！」のエピソード。短編小説さながらのこの思い出話のなかで、室井さんスゴイなぁと思うのは、最後の一行。これは小説なら比較的楽に書けることです。思いつくオチです。小説は作り話ですからね。でも実体験では、これは書けない。ましてや子供のころの回想として、このオチは普通は書けません。室井滋さんのなかにいるたくさんの「自己」が、子供のころからちゃんと仲良く機能していて、一方では体験したことを新鮮なうちにココロのなかに取り込みながら、一方でそれを的確に検分して、さらにココロを大きく育てる材料にしてきたんだなということが、ここを読んだだけでもよくわかります。

わたしなんか、うらやましいな、と思いますね。どうしたらこんなふうに元気いっぱいに生きられるんだろ？　もちろん天分もあるだろうけれど、たくさんのココロの運動を積み重ねてきて、最初は小さかったたくさんの「自己」たちを、それぞれ足腰丈夫に育ててきたからこそなんだろうな。

それにしても——

本書は室井さんの本の待望の文庫化第一弾！　なのですが、これでますますたくさんの読者の皆さんが、読んだヒトにだけわかるキーワードを共有するようになるわけですよ。で、たとえばタクシーの窓を開けて髪を風になびかせた——途端にウフフと笑っちゃうなんてことがあっちこっちで起こる。

なんかなぁ。手強いねえ。小説家としてのわたしは、ちょっとフクザツな心境なんですけどね。ねえ、室井さんてば、どうしてそんなに面白いんですか？

（作家）

本文イラスト　日比野克彦
単行本　1991年6月　マガジンハウス刊

文春文庫

定価はカバーに
表示してあります

むかつくぜ!

2001年9月10日　第1刷

著　者　室《むろ》井《い》　滋《しげる》
発行者　白川浩司
発行所　株式会社　文藝春秋
東京都千代田区紀尾井町 3-23　〒102-8008
TEL 03・3265・1211
文藝春秋ホームページ　http://www.bunshun.co.jp
文春ウェブ文庫　http://www.bunshunplaza.com
落丁、乱丁本は、お手数ですが小社営業部宛お送り下さい。送料小社負担でお取替致します。

印刷・凸版印刷　製本・加藤製本
Printed in Japan
ISBN4-16-717904-0

（　）内は解説者

旅行鞄のなか
吉村昭
綿密な取材ぶりで知られる著者が、それらの旅で掘り起こした意外な史実の数々、出会ったすばらしい人々、そしてその土地のおいしい食物と酒の話など滋味豊かなエッセイ集。
よ-1-24

私の引出し
吉村昭
歴史や自作の裏話、さまざまな人たちとの出会い、心に残る出来事、旅の話から、お酒や食べ物のこと、身近に経験したエピソードなど感動的な話、意外な話、ユーモアたっぷりの話が一杯。
よ-1-30

街のはなし
吉村昭
食事の仕方と結婚生活、茶色を好む女性の共通点、街ですれ違う気になる人、旅先でよい料理屋を見つける秘訣……。温かく、時に厳しく人間を見つめる極上エッセイ79篇。（阿川佐和子）
よ-1-34

涼しい脳味噌
養老孟司
養老氏は有名人が大好き。山本夏彦、黒柳徹子、林真理子……。別にミーハーだからではない。あわよくば脳ミソを貫いたいのだ！　好奇心と警句に満ちた必見の〃社会解剖学〃。（布施英利）
よ-14-1

続・涼しい脳味噌
養老孟司
「身体から見た社会」への関心を軸に語るヒトの世の森羅万象。女・金・戦争・エイズ……、東大「自己」定年に至る時期の思考の跡を示す、驚きと発見に満ちたエッセイ集。（中野翠）
よ-14-2

風が吹いたら
池部良
「青い山脈」「暁の脱走」「雪国」などで知られる永遠の二枚目スターの自伝エッセイ。生い立ちから、学生、兵役、映画、女優、監督、作家など素晴しい人々の想い出をつづる。（山本夏彦）
い-31-1

（　）内は解説者

我が老後
佐藤愛子

妊娠中の娘から二羽のインコを預かったのが受難の始まり。さらに仔犬、孫の面倒まで押しつけられ、平穏な生活はぶちこわし。ああ、我が老後は日々これ闘いなのだ。痛快抱腹エッセイ。

さ-18-2

なんでこうなるの　我が老後
佐藤愛子

「この家をぶッ壊そう！」精神の停滞を打ち破らんと古稀を目前に一大決心。はてさて、こたびのヤケクソの吉凶やいかに？抱腹絶倒、読めば勇気がわく好評シリーズ第二弾。（池上永一）

さ-18-3

女の幕ノ内弁当
田辺聖子

幕ノ内弁当は、甘辛、酸っぱいの、苦いの、しょっぱいのとさまざまである。浮世のさまざまをつめた幕ノ内弁当ふうエッセイを車中じっくりとお味わいください。（辻和子）

た-3-30

死なないで
田辺聖子

中年の人を見かけると「死なんときましょうねえ」といわずにいられない著者が、死について考えた表題作のほか、生きのびるチエや手だてについて真剣に取り組んだ異色エッセイ。

た-3-33

浪花ままごと
田辺聖子

宝塚、漫才、新喜劇、赤提灯、阪神ファンなど、大阪、神戸、京都の話題を満載。関西に住む著者が、食べて、見て、歩いて関西の魅力を紹介する、「女の長風呂」シリーズ十四冊目。

た-3-34

女のとおせんぼ
田辺聖子

あらゆる題材を俎上にのせて、時に鋭く、時にやんわりと料理し、ユーモアに富んで幅広い読者の支持を得て十五年。週刊文春連載最後のエッセイ。「女の長風呂」シリーズ十五冊目。

た-3-35

随筆とエッセイ

（　）内は解説者

父の詫び状
向田邦子

怒鳴る父、殴る父、そして陰ではやさしい心遣いをする父、誰でも思い当たる父親のいる情景を爽やかなユーモアを交えて描いて絶賛された著者の第一エッセイ集。（沢木耕太郎）

む-1-1

無名仮名人名簿
向田邦子

われわれの何気ない日常のなかでめぐり合いすれ違う親しい人、ゆきずりの人のささやかなドラマを、著者持前のさわやかな感性とほのぼのとしたユーモアで描き出した大人の読物。

む-1-3

霊長類ヒト科動物図鑑
向田邦子

すぐれた人間観察をやわらかな筆にのせて、あなた自身やあなたを取りまく人々の素顔をとらえて絶賛を博した著者が、もっとも脂ののりきった時期に遺した傑作ぞろいの第三作。

む-1-5

女の人差し指
向田邦子

表題のエッセイを週刊文春で連載中に突如航空機事故に遭遇した著者の遺作集。ドラマ裏ばなし、おいしいものに目がなかった著者の食べものの話、一番のたのしみの旅の話を収録。

む-1-6

コルシア書店の仲間たち
須賀敦子

かつてミラノに、懐かしくも奇妙な一軒の本屋があった。そこに出入りするのもまた、懐かしくも奇妙な人びとだった。女流文学賞受賞の筆者が流麗に描くイタリアの人と町。（松山巖）

す-8-1

ヴェネツィアの宿
須賀敦子

父や母、人生の途上に現れては消えていった人々が織りなす様々なドラマ。「ヴェネツィアの宿」「夏のおわり」「寄宿学校」「カティアが歩いた道」等、美しい文章で綴られた十二篇。（関川夏央）

す-8-2

文春文庫

随筆とエッセイ

（　）内は解説者

医者が癌にかかったとき
竹中文良

大腸癌で手術を受ける側に立たされた日赤病院の現役外科部長が、自らの患者体験と、それをふまえて医のあり方、癌告知の是非、死の問題を考えて綴った感動のエッセイ集。（保阪正康）

た-35-1

癌になって考えたこと
竹中文良

「望ましいインフォームド・コンセント」「謝礼問題の根源にあるもの」「在宅医療のこれから」など、大腸癌手術を受けた医者である著者が、予後に遭遇した問題を冷静に考察。

た-35-2

心筋梗塞の前後
水上勉

一九八九年六月、北京を訪れた著者は天安門事件に遭遇、救援機で帰国して程なく心筋梗塞に襲われた。死の淵から生還し、二年間の入退院の日々に生起した大事小事を克明に写した記録。

み-1-12

やぶ医者のほんね
森田功

小さな町の診療所の医者と患者のドラマを、あたたかいユーモアとほろ苦いペーソスで描いた滋味豊かなエッセイ集。楽しく読めて、自然に医療の知識も身につきます。（大河内昭爾）

も-9-2

やぶ医者のなみだ
森田功

やせ細った老女の手をとって、やぶ医者先生は泣いた。医者とはなんとかなしい仕事なのだろうか……小さな診療所の生と死のドラマをあたたかな筆で綴った医学エッセイ集。（立川昭二）

も-9-3

やぶ医者のねがい
森田功

「今がいちばん幸せ」イト老が、枕もとのやぶ医者先生に笑いかけた。自ら喘息に悩まされながら、外来に往診にと奔走する町医者の日常と哀歓を描いた傑作エッセイ集。（吉村昭）

も-9-4

（ ）内は解説者

関川夏央
「ただの人」の人生
明治の文豪、将棋指し、映画評論家、生意気なインタビュアー……。目に見えないものもじっくり眺めるとおぼろげに見えてくる。短文の名手が贈る珠玉の十九篇収録。（小森陽一）
せ-3-4

関川夏央
家はあれども帰るを得ず
日本に中産階級と家庭は確かにあった……。現代に失われた良き家庭を懐かしむ表題作ほか「まぼろしの父の書斎」「胸にとげ刺すことばかり」「神戸で死ねたら」など二十二篇。（川本三郎）
せ-3-5

林望
ホルムヘッドの謎
話は英国の奇妙な館に始まる。日英の地図の描き方、便器についての考察を経て、源氏物語をめぐる色恋論へ――。すべての話が不思議に連環しあう、エッセイの名品全12篇。（竹内久美子）
は-14-1

林望
イギリスはおいしい
まずいハズのイギリスは美味であった?! 嘘だと思うならご覧あれ――イギリス料理を語りつつ、イギリス文化の香りも味わえる日本エッセイスト・クラブ賞受賞作。文庫版新レセピ付き。
は-14-2

林望
イギリスは愉快だ
テレビでのスポーツ中継を前におもいを巡らし、紅茶の時間にふと考える。はたまた個人主義の伝統とは……リンボウ先生の筆致が冴える、好評『イギリスはおいしい』につづく第二弾！
は-14-3

林望
リンボウ先生 イギリスへ帰る
「イギリスは暮らしやすい国だ。人の住むべき理想に近い」かくなる信条のもとにリンボウ先生が考察した、銀行、洗濯、ドアの開閉からサヴォイの朝食に至る大英帝国の神秘。（斎藤晴彦）
は-14-5

（　）内は解説者

男の肖像
塩野七生

人間の顔は時代を象徴する。幸運と器量に恵まれた歴史上の大人物、ペリクレス、アレクサンダー大王、カエサル、織田信長、千利休、西郷隆盛、ナポレオンなど十四名を描く。（井尻千男）

し−24−1

男たちへ
フツウの男をフツウでない男にするための54章
塩野七生

インテリ男はなぜセクシーでないか？　嘘の効用、男の色気と涙について——優雅なアイロニーをこめて塩野七生が男たちに贈る毒と笑いの五十四のアフォリズム。

し−24−2

再び男たちへ
フツウであることに満足できなくなった男のための63章
塩野七生

容貌、愛人、政治改革、開国と鎖国、女の反乱、国際化——日常の問題から日本及び世界の現状までを縦横に批評する幅の広さ、豊かな歴史知識に基づく鋭い批評精神と力強い文章が魅力。

し−24−3

誰のために愛するか（全）
曽野綾子

その人のために死ねるか——真摯にして厳しい問いの中にこそ、本当の愛の姿が見える。嫁と姑。息子と母親。友人。夫婦。人間同士の関係が不思議で愛しくなるエッセイ集。（坂谷豊光）

そ−1−19

男ざかりの美学
桐島洋子

日本の風土がはぐくんだいとしき中年男性たちのあるがままの現実を凝視して、するどい洞察力、あたたかな包容力、そして独断と偏見とで、その魅力を探る男の品定めエッセイ。

き−2−5

聡明な女は料理がうまい
桐島洋子

すぐれた料理人の条件は、果敢な決断と実行、大胆で柔軟な発想、明晰な頭脳だ。女性は男並みの家事無能者になってはならない。すぐれた女性はすぐれた料理人なのだ。（桐島かれん）

き−2−7

文春文庫

随筆とエッセイ

（　）内は解説者

夕陽が眼にしみる　象が空をI
沢木耕太郎
これからいくつの岬を廻り、いくつの夕陽を見ると、日本に辿り着けるのだろう……。ノンフィクションにおける「方法」と真摯に格闘する日常から生まれた、珠玉の文章群。（一志治夫）
さ-2-10

不思議の果実　象が空をII
沢木耕太郎
インタヴュアーの役割とは、相手の内部の溢れ出ようとする言葉の湖に、ひとつの水路をつなげることなのかもしれない……。デビュー以来、飽くことなく続く「スタイルの冒険」。（和谷純）
さ-2-11

勉強はそれからだ　象が空をIII
沢木耕太郎
ただの象は空を飛ばないが、四千二百五十七頭の象は空を飛ぶかもしれないのだ……。事実という旗門から逸脱する危険性を孕みながら、多様なフォームで滑走を試みた十年間。（小林照幸）
さ-2-12

旅をする木
星野道夫
正確に季節が巡るアラスカの大地と海。そこに住むエスキモーや白人の陰翳深い生と死を味わい深い文章で描くエッセイ集。「アラスカとの出合い」「カリブーのスープ」他全33篇。（池澤夏樹）
ほ-8-1

汽車旅は地球の果てへ
宮脇俊三
鉄道ファンなら一度は乗ってみたい世界の鉄道のなかでも、その難しさにおいて屈指の鉄道に挑む。アンデスの高山列車、サバンナの人喰鉄道、フィヨルドの白夜行列車など六篇を収録。
み-6-3

失われた鉄道を求めて
宮脇俊三
赤字路線の廃止や合理化で懐しい鉄道が次々と消えてゆく。沖縄県営鉄道、耶馬渓鉄道、草軽電鉄、出雲鉄道など草に埋もれた軌道で往時を偲び、世の移り変りを実感する。（中村彰彦）
み-6-4